ラストで君は「キュン!」とする

永遠の思い出
eternal memories

PHP

あなたは、大切な人との「別れ」を経験したことがありますか？

悲しい別れ。
切ない別れ。
前向きな別れ。
永遠の別れ。

胸の奥がぎゅうっと苦しくなって、涙がほろりとこぼれてしまったり。
ぐっとさびしさをこらえて、下手くそな笑顔をつくってみたり。
バイバイって手を振って、それぞれの道を歩き出したり。
だけどひとり残されたあとは、いつも心の中にぽっかり穴が開いてしまう。
悲しくて、つらくて、どうしようもなく涙が止まらなくなってしまう。

でもその別れの先にも、あなたの未来は続いていて。

そしていつか、あの日の別れは永遠の思い出に変わっていくのです。

ちょっぴり苦い想いや、甘酸っぱい想いを抱えたまま。

透明で壊れやすい、ガラス瓶の中にそっとしまいこんで。

時にはこっそりふたを開け、なつかしさを感じたりしながら。

そうやってみんな、大人になっていくのでしょう。


そんな「別れ」を経験したことのある人も、ない人も。

この本を読み終えるころ、きっとあなたの心には、忘れられないときめきや切なさが残っているでしょう。

甘く切ない十九の物語が、あなたを待っています。

涙を拭くためのハンカチを、どうぞ忘れずにね。

contents もくじ

●執筆担当

菊川あすか（p.8～16、46～51、96～108、127～135、169～177）
櫻いいよ（p.17～25、52～60、78～85、109～117、158～168）
水瀬さら（p.2～3、37～45、66～77、136～146、178～191）
村咲しおん（p.26～36、61～65、86～95、118～126、147～157）

♥ episode - 01

打ち明けられない恋

『好きです。つき合ってください』

高校生活最後の日。私、島崎葵は、玉砕覚悟の告白をした。

目の前にいる神崎蓮は、うちの学校はもちろん、別の学校にもファンがいるほどの人気者だ。だから、うまくいかないことはわかっている。ちゃんとフラれて、終わりにしよう。

そう思っていたのだけれど、彼の答えは……。

『俺でよければ』

短大を卒業したあと、ひとり暮らしをはじめて一年。あの奇跡の告白から、もう三年がたった。

紅茶を入れたカップを持って、私は腰を下ろす。

小さなテーブルとベッドが置ける程度のせまい部屋だけど、オートロックだし管理人さんはいい人だから、けっこう気に入っている。

午後十一時になり、私は目を覚ますように紅茶をひと口飲んでテレビをつけた。映ったのは、人気急上昇中のアイドルやモデルを特集する番組だ。

複雑な思いを抱きながらテレビを見ていると、テーブルの上に置いてあるスマホにメッセージが届いた。

【あと五分で着くから】

テレビを消した私は洗面所に立ち、肩の下まで伸びた髪の毛を少しだけ整える。

鏡に映る自分を見て、自然とため息が出た。

きっかり五分後にインターホンが鳴り、モニターには黒いTシャツに黒いキャップを目深にかぶった人物が映っている。マンションの入口のロックを解除すると、しばらくしてまたインターホンが鳴った。今度は部屋の玄関まで行き、そっとドアを開ける。

顔を上げると、黒ぶちメガネをかけた蓮は私を見て口角を上げた。

「遅くなってごめんね」

「ううん、平気」

いつも通りの返事をしているのに、胸の奥がチクッと痛む。

メガネを外してテーブルの前に蓮が座ると、私は彼の分の紅茶を淹れてから隣に座る。

「このチョコ、また買ったんだ」

それは、甘いもの好きな蓮がバレンタインにくれたチョコレートと同じものだ。口に入れるとスッと溶けてなくなる感覚が不思議でおいしくて、すっかりはまってしまった。

私だけじゃなく、蓮もスイーツに目がないと知ったのは、つき合いはじめて三か月後。蓮の誕生日にケーキをつくったらすごく喜んでくれて、『甘いもの大好きなんだ』って、子どもみたいに笑ってくれたんだ。

チョコをひとつ食べた蓮は、あの時と変わらない、幸せそうな笑みを浮かべた。私は、

そんな蓮から目をそらす。

蓮の笑顔や優しさや性格は三年前と何も変わっていないけれど、でも、三年前と今とでは全然ちがうんだ……。

「あのさ、蓮」

カップを置き、蓮に顔を向けた。

「蓮は、どうしてあの時、私の告白を受け入れたの？」

「……え？　どうしてって、好きだからに決まってるじゃん」

彼は一瞬おどろいたあと、思っていた通りの言葉を私に返した。

「私は、蓮の彼女なんだよね？」

「当たり前だろ」

「じゃあ、どうしていつも、彼女はいないって言うの？」

「それは、だって……」

口ごもる蓮を前に、私は視線をテーブルに移した。

蓮を困らせるだけだってわかっているのに、私はあえてそう聞いた。案の定、蓮は答えることができない。

蓮とつき合ってから一年がたったころだった。大学生だった彼が、芸能事務所にスカウトされたのは。

最初はモデルの仕事だけだったのが、徐々に人気が出てきた蓮は、一年前に男性アイドルグループの一員としてデビューした。それからファンクラブもできて、蓮の人気はどんどん上がっていった。もちろん今も、たくさんのファンが蓮を応援してくれている。

最初は蓮の活躍を私も一緒に喜んでいたけれど、今はちがう。蓮が頑張っていて、それを応援したいと思う気持ちはあるけど、ちがうんだ。

「私は蓮のことが好き。だけど私たち、本当につき合ってるって言えるのかな」

あの日、私の告白を蓮が受け入れてくれた瞬間、こんな幸せなことがあっていいのかなって不安になるくらい、本当にうれしかったんだ。

蓮と一緒なら、この先何があっても乗り越えられると思ってた。ふたりの気持ちが同じなら、ぜったい大丈夫だって……。

だけど、現実はそんなにかんたんじゃなかった。

「友だちや家族に私の彼氏なんだって言えない関係なんて、つらいだけだよ……――テレビの中の蓮を見るたびに、手の届かないところにどんどん行ってしまいそうで怖くて。インタビューで「彼女はいない」って答える彼を見るたびに、心が痛んだ。

好きな気持ちは少しも変わっていないけれど、これ以上気持ちを無理やり抑えることはできないし、何よりアイドルとして頑張る蓮のじゃまをしたくない。

「私はやっぱり、わがままなんだ。彼氏とは、手をつないで街を歩きたい。動物園や水族館に行ったり映画を見たり、そんな普通のデートがしたいの。だから、別れよう」

涙がこぼれないように、わざと語気を強くする。

「俺は葵が好きだから、別れたくない。今は葵の存在を秘密にしなきゃいけないけど、でも、いつかきっと――」

「別れたいの」

私は、蓮の言葉をさえぎった。わざとそっけなく、つながっていた糸を断ち切るように。これ以上聞いていたら、本当は別れたくないって言ってしまいそうだったから。

「ごめんね、蓮。もうこれ以上はつらいんだ。私は一般人だから、もっと普通の恋愛がしたいの。本当にごめん」

私は蓮に向かって頭を下げてから、目にたまった涙を見られないように背を向ける。

「……わかった。今までつらい思いばかりさせて、ごめんな」

蓮の言葉に、私は頭を左右に振った。

つらい思いばかりじゃないよ。蓮が「好き」って言ってくれるたびに、私は本当に幸せだった。蓮の優しさが、蓮のあったかい笑顔が、大好きだった。

だけど、このままだと私は蓮をひとり占めできないことにいらだち、蓮に当たってしまう。そんな姿を、あなたに見せたくないの。

「これからもずっと、応援してるからね」

たがいを大切に想う私たちは、たがいの幸せを願って別々の道を歩むことを決めた。

この選択が、私たちの幸せにつながっていると信じて……。

彼が帰ったあと、私は再びテレビをつけた。そこには、アイドルとして画面に映る蓮がいる。

「好きなタイプは？」

何度も聞かれたであろう質問を司会者から投げかけられた蓮は、少し困ったように微笑みながら答えた。

「俺と同じように甘いものが好きで、自分のことよりも人の幸せを願えるような優しい子、かな」

照れたようにはにかむ蓮を見て、我慢していた涙が一気にあふれ出す。

これからはファンとして、ずっと……ずっと、蓮の幸せを願っているから。

♥ episode - 02

真実はふたりぶん

かわいい子猫が道にいた。

小学二年生の真美の両手にすっぽり収まるくらいの小さな子猫だった。学校の帰り道、真美はその猫を放っておけず保護しようと追いかけた。そしてやっとその小さな生き物を抱きしめることができた時には、すっかり帰り道がわからなくなっていた。

「泣くなよ。泣いたら前が見えなくなるぞ」

ここがどこだかわからず涙を流しながらとにかく足を動かしていると、後ろから男の子が声をかけてきた。

真美と同じくらいの身長の男の子は、帽子にリュックに水筒と、まるで冒険にでも出かけるような格好に見えた。

「迷子か？　じゃあ、一緒に交番を探すか」

少年は真美と同じくらいの小さな手を差し出してきた。手を重ねると、真美を安心させようとしているのか、ぎゅっと強く握られた。そして、力強い足取りで前に進んでいく少年に、真美はついていく。

少年は、まるで、ヒーローのようだった。

学校にいる男子とはまったくちがっていた。くだらない冗談も、いじわるなことも言わない。ましてや手を握るなんて、ありえないことだった。はずかしがる様子もないところが、かっこよかった。

少年がそばにいると心強くて、真美の涙は止まった。にゃあにゃあと鳴いていた子猫も同じ気持ちなのか、いつの間にか真美の腕の中ですやすやと眠っていた。


席に座って頬杖をつきながら、高校生になった真美は教室を眺めていた。

「何ぼーっとしてんの、真美。話聞いてるー？」

隣にいた友だちに声をかけられて「あ、ごめん」と顔を向ける。

「なんか隣のクラスの子が、山脇のことを好きなんだってさ」

話を聞いていなかった真美に、友だちが教えてくれた。

山脇は、真美の隣の席の男子だ。クラスで二番目に背が高く、バスケ部に所属していて、顔もそれなりに整っている。だれとでも気さくに話す性格なこともあり、女子に人気があるのは真美も知っていた。

「へえ」

「真美は恋バナになるといっつも、へえ、しか言わないよねえ」

「……だってえ、わかんないんだもん」

同級生に恋をする気持ちが、真美はイマイチわからなかった。

できることなら真美だって恋をしたい、とは思っている。

すれちがったとか、会話をしたとかメッセージのやりとりをしたとか、そういうささりげない日常の中でときめきを感じてみたい。少女マンガのようなキラキラかがやく学校生活を送りたい。高校生になればそんな日々が待っているはずだと期待もしていた。

けれど。

「学校にいる男子って、みんな子どもにしか見えないしさ」

男子たちは中学の時と同じように、くだらない話をしてくだらないことをしている。なんなら小学校時代とも変わっていない。

「小藪だっておれらと同い年の子どものくせに」

そこに、席に戻ってきた山脇が横から口を挟んできた。

「大人ぶって何言ってんだか」

「うっさいな。そういうところが子どもって言ってるの」

ムッとして言い返す。

山脇はたしかに女子にモテる。が、真美にとってはただうるさくていじわるな男子でしかなかった。雑巾でサッカーをしていたり、教科書に落書きしたり、なんて子どもなんだと呆れるほどだ。

「じゃあ真美は年上の人が好きなの？」

「そういうわけじゃないんだよね。中学の時、高校生はすごく大人だと思ってたし」

「意味わかんねー。小藪の中で大人ってなんだよー」

友だちの質問に答えると、ケラケラと笑って山脇がまた余計なことを言う。

「歳じゃないの、中身のことなの！　同い年でも年下でも、子どもっぽくなくて、頼りがいがあって、うるさくしなくて落ち着いていて、女の子にも優しくって……」

「そんなやついねえよ」

「いるの。いたの！　小学生でもそういう子はいるんだから！」

ムキになって真美は大きな声を出した。

「あ、真美が前に言ってた、子猫を追いかけて迷子になった時の話？」

「そうそう。ほんと、今思い出してもほんっとにすてきだったんだから」

友だちに聞かれた真美は、うっとりとあの日のことを思い出す。あの日のことは鮮明に覚えている。友だちにも何度語ったかわからない。

「迷子になって泣いてる私に、声をかけてくれたの。同い年くらいの子なんだけど、すごく優しかったんだよね」

話しはじめると、山脇が「なんだそれ」と首をかしげた。

「いじわるも言わないし、バカみたいなことをしないし。私を慰めようとしてくれたのか、大丈夫だよ、とか、猫かわいいねって言いながらゆっくり私の手を引いて交番まで連れていってくれたの」

高校生になった今も、あの少年は大人のようだった、と感じる。いまだかつてあの少年ほど優しくしてくれたり、頼りになると感じたりした男子はいない。

「今思えば、あれが私の初恋かもしれない」

あの日、交番まで案内してくれた少年とは、それから一度も会っていない。同じ小学校に通っているかもしれない、と探したけれどいなかったし、中学校でもそれらしい子はいなかった。顔はすっかり忘れてしまったが、それでもあの少年はいないと断言できた。だって、いたのは歳相応の男子ばかりだったから。

「猫にもすごく優しかったなあ。かわいい猫だから『かわ』って名前もつけてくれたんだよね。今ではぶっくぶくに太っちゃったけど。かっこよかったなあ……」

ネーミングセンスはイマイチだが、でも、それもまた少年の優しさが現れているように思えて、真美は『かわ』としてその子猫を家に連れ帰った。

あの少年は今ごろ、それはそれはすてきな男子になっているはずだ。彼がクラスにいたら、真美は恋に落ちていたはずだと自信をもって言える。

「へえ」

「……何？　もしかしてバカにしてる？」

山脇のそっけない返事に思わずにらんでしまう。けれど、山脇はさっきまでのバカにするような表情ではなく、やわらかな笑みを浮かべていた。

まるで、落ち着いた男子のように。

「いい思い出なんだな」

山脇らしくない言葉に、真美は胸のうずきを感じてうまく返事ができなかった。

チャイムが鳴って席についた山脇は、自分の顔が赤くなっていませんようにと、そればかりを考えていた。

あの日、真美に声をかけた少年は山脇だった。しかし、実は……山脇も迷子になっていた。探検隊にあこがれて見知らぬ土地を歩きまわった結果、山脇は帰り道がわからなくなり、涙を我慢しながら身動きが取れずにいた。

その時、目の前に泣いている少女が現れたのだ。

子猫を抱いてぽろぽろと涙を流している少女が山脇の目の前を通り過ぎる時、一瞬、目が合った気がした。

なんとか涙をこらえてから、山脇は小さな背中に声をかけた。

真美が思っているようなかっこいい少年ではなかった。大人っぽいとか落ち着いているように見えたのは、泣かないように、そして泣くのを我慢していたのがバレないようにと、かっこつけていただけだった。

声をかけたのは、仲間を見つけたと思ったから。交番に連れていったのも、自分が家に帰るためだった。

平気なフリをして少女に話しかけた。少女の腕の中ですやすやと眠る子猫に『かわ』と適当な名前をつけた。そのくらい、平気なフリをするのに必死だった。

なのに少女はうれしそうに微笑んだのだ。

その少女のことを、山脇はずっと覚えていた。忘れられなかった。

でもまさか、あの少女が隣の席の真美だったとは。そしてまさか、あの日の山脇をあんなに美化して記憶に残しているとは。

——『今思えば、あれが私の初恋かもしれない』

さっき聞いた真美のセリフがよみがえる。

「……おれもだっつーの」

山脇はつぶやき、はずかしさと喜びで赤くなった顔を両手で包んで隠した。

♥episode - 03

いつかの恋心

あのころ、わたしにとって日下部伊織という人は神様のような存在だった。

「ずいぶん難しい本を読んでるんだね」

毎日のように通っていた図書館で、その人はわたしを見つけてくれた。わたしが小学生の時のことだ。

「宇宙はここよりずっと楽しそうだから」

幼いころに両親を亡くし、施設で暮らしていたわたしにとって、図書館で本を読んだり勉強したりすることはいやしであり、厳しい現実世界からの逃避でもあった。だから毎日のように閉館ギリギリまで好きな本を読んでいたのだ。

あの日も宇宙は楽しそうでいいなと思いながら、大人が読むような宇宙工学の分厚い本を読んでいた。

「そうだね。宇宙はここより楽しそうだ」

知らない青年が微笑みながらわたしを見下ろしていた。あの優しい顔を、わたしは生涯忘れることはないだろう。宇宙のどんなところが楽しいか、この人ともっと話をしたいと思ったけれど、まるでふたりの行く末を知らせるかのように、出会った瞬間に図書館の閉館チャイムが鳴った。

「もう帰らなきゃ」

本を棚に戻すと、彼はわたしの横に並びながらこう言った。

「ぼくは、日下部伊織。君の好きそうな本がうちには山ほどあるよ。閉館時間もないし、よかったら明日から読みにこないかい？」

思ってもみなかったその提案に、わたしは強くうなずいたのだった。

「世那は本当にかしこいな。もうこんな問題まで解けるの？」

学校帰りに伊織の家に通うようになると、当時高校生だった伊織はついでにわたしの勉強も見てくれた。でもわたしは、小学生にして高校生レベルくらいの問題を解ける学力が身についていたのだ。伊織の高校の問題集を解いてみると、彼はすごくおどろいていた。

「勉強は答えが必ずあるからわかりやすくて楽なの」

「小学生とは思えない発言だな。でも世那の言ってることはよくわかるよ」

きっと彼も生きづらい現実の中でいろいろと思うところがあったのだろう。最初のころはよくわかっていなかったけれど、日下部家は日本有数の名家のひとつだった。伊織の暮らす家は、わたしの暮らす施設よりも大きな敷地に建っていて、彼は離れの書庫にわたしを招き入れてくれたのだ。彼の先祖が遺した書物は膨大な量で、離れは天井まで届きそうなくらい大きな本棚で埋められていた。本が好きなわたしにとっては天国のような場所であり、こんな場所に連れてきてくれた伊織はまさに神様だと思っていた。

「こんな立派なところにわたしみたいな子どもを入れて大丈夫なの？」

「ぼくは高校生だけど、この家の当主だからね。勉強好きな小学生の女の子に好きなだけ本を読ませてあげることくらいできるよ」

「当主って家でいちばんえらい人ってことだよね。伊織もお父さんがいないの？」

「うん。父は去年亡くなったんだ」

「お母さんは？」

「母は体が弱くてね。入退院をくり返してる」

「ふうん」

「世那がこうして来てくれると、妹ができたみたいでうれしいよ」

「……ありがとう」

わたしがいることを喜んでもらえるなんて、生まれてはじめてですごくうれしかった。なのに、感情表現が苦手なわたしは小さな声でそう答えることしかできなかった。

月日が流れて、わたしが大学生になるころ、伊織にとってわたしは『妹』ではなく『恋人』になっていた。「世那」と呼ぶ声は相変わらずとても優しくて、伊織に名前を呼ばれるたびに自分の名前を好きになっていた。

そのころ、日下部家が代々経営してきた貿易会社に勤めていた伊織は毎日忙しそうだった。ふたりの関係はだれにも打ち明けられず、会う時間は少なくなったけれど、わたしはとても幸せだった。伊織は物理工学の参考書より、英語で書かれた古典の名作物語より、楽しいと思えるものを与えてくれた。答えのないものを嫌うわたしに彼はわかりやすい愛情表現をしてくれたし、会えば必ず好きだと言ってくれた。この先もずっと一緒にいようと、何度も何度も言ってくれたのだ。学生時代のことを振り返る時、そこには必ず伊織がいて、あの蜜のような甘い幸せが鮮明によみがえってくる。

でもわたしは、育った環境もあって現実というものをよく知っていた。だから最初からわかっていたのだ。『この先ずっと一緒にいる』ことなんてできない、と。

伊織は名家の若き当主で、わたしは身寄りのない施設育ちの大学生。どう考えても不釣り合いなふたりだった。

「世那が大学を卒業したら結婚しよう」

「そうできたらうれしいね」

「なんでそんな他人事みたいに言うんだよ」

「だってまだ大学に入ったばかりだし、結婚なんて現実味がないよ」

「そっか。世那はまだ学生だもんな」

まるでわたしが学生であることが問題のように話していたけれど、ふたりとも本当の問題から目をそらしていただけだ。伊織が自分の意思で結婚相手を選べるわけがない。彼の親族がそれを許すわけがない。それをわかっているからこそ、ふたりともたがいだけを見ていたかったのかもしれない。

伊織のことが大好きだけれど、いつか別れが来ることは決まっている。それならばこれ以上好きにならないようにしようと思うのに、勉強とちがって感情は自分の思い通りにはならず、ますます伊織を好きになってしまう。

「欲張りすぎちゃったなぁ」

部屋で伊織を待ちながら、何度ため息をついただろう。神様のような人がわたしを見つけてくれて、好きなだけ勉強ができて、こうして大学まで通えるようになった。それだけで十分なのに、好きな人と結婚だなんて、わたしには不相応な夢だ。


そして大学生活も半分が過ぎたころ。

『日下部家の当主に縁談が来ているらしい』

案の定、そんな噂話がわたしの耳にも届くようになった。

相手はだれもが名前を聞いたことのある政治家の娘らしい。伊織にとってこれ以上ないほど釣り合いのとれた相手だ。

「噂なんて気にしなくていいから」

「俺が好きなのは世那だけだよ」

伊織は出会ったころと変わらない笑顔でそう言ってくれる。変わってしまったのはわたしのほうだ。もう、子どものころのように素直に彼の言葉を聞けなくなっていた。

「うちの親族はちゃんと説得する。俺が選ぶのは世那だから」

でも、わたしは伊織のことを選べない。もともと、わたしと伊織では住む世界がちがうのだ。たとえ周囲の反対を押しきって結婚できたとしても、伊織への風当たりが強くなったり、わたしのせいで伊織が傷つくこともあるだろう。彼の大事な仕事にだって悪い影響があるかもしれない。伊織の人生が狂ってしまう。伊織は世界でいちばん大切な人だ。そんな人が傷つき、苦しむ姿は見たくない。わたしが自分から身を引くべきだ。

「ごめんね、伊織。……さようなら」

わたしは大学卒業を待たずに伊織に一方的に別れを告げ、逃げるようにそのままアメリカの大学へ行くことにした。わたしにとって生涯ただひとつの恋は終わったのだ。渡米後しばらくして、日本にいる友人から伊織が結婚したことを聞いた。少しだけ胸がちくりと痛んだけれど、これでよかったのだと思った。わたしは、アメリカの権威ある大学の有名な教授の元で存分に学べている。それだけで十分幸せ者だ。

それからずいぶんと歳を重ね、伊織との恋ははるか昔の記憶になった。

『御堂世那さんは史上最年少でノーベル経済学賞を受賞したあと、官公庁で経済政策の立案にも携わられ、現在はT大学で客員教授を務めていらっしゃいます』

六十歳を越えた今、わたしはだれとも結婚せず経済学者として研究を続け、仕事柄テレビにも多く出演している。こんなふうに経歴を紹介されるのは照れ臭いが、これもひたむきに打ちこんできた結果なのだ。前向きに受け入れるようにしている。

自分の事務所で講演依頼のメールに返信し終えたところで、デスクに置いてあった経済新聞がふと目に入る。忘れられない人の名前が、そこにあった。

日下部伊織。時代の名士とも言われた彼は先週病気で亡くなったらしい。略歴を見てさらにおどろく。

『日下部氏は生涯独身を貫き会社の発展に努め、社会貢献にも熱心で数多くの養護施設を支援。一般財団法人を立ち上げて修学が困難な優秀な学生に返済不要の奨学金を給付するなど、教育の機会均等に尽力した』

「生涯独身……？　結婚したんじゃなかったの？」

あれはただの噂だったということなのか。伊織も独身を貫いていたなんて、今の今までまったく知らなかった。

『俺が好きなのは世那だけだよ』

その言葉を信じられずに逃げ出したわたしを、彼は許してくれたのだろうか。だれとも結婚しなかったことを、自分本位に解釈してもいいのだろうか。こんな歳になっても、わたしは答えのないものが嫌いなままだ。

「わたしもずっと伊織だけだったよ」

新聞の伊織の名前が涙で滲んでいく。初恋は実らないというし、そうだったと思っていたけれど、ちがったのかもしれない。

わたしのたったひとつの恋がはじまった、あの図書館のチャイムを思い出す。あの時、この人とまた会いたいと思った。この人と一緒にいたいと思ったのだ。

「伊織、あの時わたしを見つけてくれて本当にありがとう」

わたしの人生を救ってくれた神様のような彼はもういない。でも、わたしたちはようやく一緒に生きられるのかもしれない。かつて彼がくれたたしかな愛をくり返し思い出しながら、わたしはこの先生きていくのだ。

いつかの恋心は、永遠に消えることなくわたしの胸をあたため続けてくれるだろう。

♥episode - 04

さよならドライブ

「茜ー、悪いけど、ちょっとスーパー行って、おしょうゆ買ってきてくれない?」

お母さんからそう頼まれたのは一時間前。「ちょっと」なんて気軽に言うけど、うちからスーパーまでは、自転車でも十分以上かかる。

「おしょうゆないと困るのよ。お母さん今、揚げ物してて手が離せないし」

今日はあたしのお姉ちゃんが引っ越す前の「お別れパーティー」。お母さんはお姉ちゃんと一緒にキッチンに立ち、張りきって料理をつくっている。

「えー、なんであたしがぁ……」

「だって茜、ヒマでしょう?」

お姉ちゃんがくすくす笑いながら、リビングをのぞきこんでくる。

たしかにお手伝いもしないで、ゲームをしているあたしはヒマだけど。

「じゃあ俺が車出してあげるよ」

一緒にゲームをしていた人がそう言った。あたしの家に遊びにきている、十歳年上の幼なじみ、尊だ。

「雨も降りそうだしさ」

「えっ、いいの？　なんか今日の尊、優しくない？」

「俺はいつだって優しいだろ？」

尊が微笑み、あたしの頭をふわっとなでて立ち上がる。

その瞬間、きゅっと痛んだ胸の苦しさを振り払うように、あたしは笑って言った。

「じゃあ乗せてって！　お姉ちゃん、ちょっとだけ尊、借りるねー」

尊の大きな背中を押しながら、そうしてふたりで玄関を出たんだ。

尊の車に乗るのは慣れている。いつもはお姉ちゃんと一緒だけど、今日はふたりきり。

あたしは、いつもお姉ちゃんが座っている助手席に座った。

スーパーまで行って、おしょうゆを買うところまでは順調だった。ところが、店を出たとたん大雨が降ってきて、車は渋滞に巻きこまれてしまった。

「こりゃあ、ちょっと時間がかかるなぁ……」

前を見たまま、のんびりとつぶやく尊。あたしはそんな尊の横顔をちらっと見る。

あたしは小さいころから中学三年生の今まで、ずっと尊のことが好きだ。

近所に住む尊と、尊と同い年のお姉ちゃん、そしてあたし。ふたりは歳の離れたあたしをすごくかわいがってくれて、よく公園やショッピングに連れていってくれた。

尊が免許を取ってからは、この車に三人で乗って、たくさんドライブした。

でも、カーナビから流れてくるのは、いつもお姉ちゃんの好きな曲ばかり。

「あたしはこの曲が聴きたい！」

尊にあたしの好きな曲をリクエストしたら「若い子の好きな歌はよくわかんないなぁ」なんておじさんみたいなことを言ったから、みんなで笑ったのを覚えている。

あのころからあたしは、尊とお姉ちゃんは想い合っているんだなって、子ども心に感じていた。

そしてあたしの予想通り、ふたりはつき合いはじめたんだ。

最初は少しショックだったけど、あたしはこのままの立場でいたかった。

尊に甘やかしてもらって、頭をなでてもらえるだけで、うれしかったから。

いつまでも三人で、ドライブに行きたかったから。

だからこの気持ちはだれにも言わないと決めて、かわいい妹として振るまっていたんだけど——。

突然尊の転勤が決まり、お姉ちゃんもついていくって言い出したんだ。

『そんな！　転勤って、やめられないの？』

『それは無理なのよ』

『でも、どうしてお姉ちゃんまで……』

『茜、あのね。わたしたち……結婚するの』

明日、ふたりは遠い街に引っ越していく。あたしをひとり、この街に残して。

濡れたフロントガラスの向こうに、赤信号が滲んで見える。止まったままの車の中で、あたしは思う。

このまま永遠に、車が動かなければいいのに——なんて。

「今日さ、翠がハンバーグつくってくれるんだろ？　俺、翠のつくったハンバーグ、大好きなんだよなぁ」

ぼんやりしていたあたしの耳に、尊ののろけた声が聞こえてきた。

翠っていうのは、お姉ちゃんの名前だ。お姉ちゃんのつくるハンバーグは最高においしくて、あたしだって楽しみだけど……。

「ちょっと！　引っ越したら尊だって料理つくらなきゃだめだからね！　お姉ちゃんばっかりやらせないで」

「わかってるよ。俺のつくった料理だって、うまいんだぞ？　この前カレーつくったら

『天才的なおいしさ』って、翠がめっちゃ喜んでくれたんだから」

お姉ちゃん、尊のつくったカレー食べたんだ。あたしは食べたことないのに。でもお姉ちゃんはこれからもずっと、尊の料理を食べられるんだ。

「俺、翠と結婚できて幸せだよ」

尊の穏やかな声を聞きながら、あたしは手のひらをぎゅっと握りしめる。

尊は昔から鈍感だから、あたしの気持ちなんてわかってない。さびしがっているのは、あたしだけ。なんだかすごく悔しいけれど、尊は本当にお姉ちゃんのことが大好きなんだなぁってわかる。

だから最後まで、あたしは妹として振るまうんだ。


「尊ってさぁ」

フロントガラスを濡らす雨を見ながらつぶやいた。

「お姉ちゃんまで連れてっちゃうなんて、ひどいよね」

あたしの言葉に、尊はいつもみたいにへらっと笑う。

「ごめんごめん。さびしくなっちゃうよな」

赤信号を見つめるあたしの耳に、尊の声が聞こえる。

「茜は翠が大好きだもんなぁ」

そうだよ。あたしはお姉ちゃんが大好き。だからお姉ちゃんには、ぜったい幸せになってほしい。

「尊ばっかり幸せになって、お姉ちゃんを幸せにしなかったら、その時はあたしが許さないからね」

そう言って隣を見ると、尊と目が合った。

「うん。わかった」

力強く、約束してくれる尊。その顔を見たとたん、胸の奥から何かが湧き上がってきた。それをぐっとこらえるあたしに、尊が言ったんだ。

「でも俺も、茜と会えなくなるのはさびしいよ」

なんで……なんでそんなこと言うのよ、バカ。
尊はあたしの気持ち、ほんとにわかってない！
「あたしは全然、さびしくないもん！」
尊が少しさびしそうに笑って、あたしの頭をなでてくれた。
その瞬間、涙が一気にあふれて、あたしはあわてて顔を背ける。
助手席の窓には、涙のような雨が流れていた。

「あ、動き出した」
目の前の車が動き出し、尊もアクセルを踏む。
ああ、もうすぐ家に着く。ふたりだけの時間が終わってしまう。
家に着いたらまた笑わなきゃ。笑って「バイバイ」って言わなくちゃ。
だけどそれまで、少しだけ泣きたい。
カーナビから流れていたのは、あたしが聴きたいと言った、あの曲だった。

♥ episode - 05

告白異世界転生

二月十四日。高校二年生の高橋紗奈は今日、片想いをしている同級生の進藤優汰に告白しようと決めていた。

だが、世の中そううまくはいかないのだと、紗奈は心身ともにいたく実感していた。

「えっと、ここは……どこ？」

大きな木の下に座っている紗奈のまわりには七色の不思議な花が咲き、少し先のほうには西洋風のおしゃれなレンガづくりの建物が並んでいる。おまけに、わたあめのような水色の毛をまとった小さな生き物など、見たことのないご当地キャラのような謎の動物が歩いていた。

紗奈が呆然としていると、「ボンッ」という音とともに、羽を生やした小さな男の子が目の前に現れた。しかも宙に浮いている。

「おめでとうございます。ボクは神様です。事故にあったあなたは、この世界のサーナ姫として転生しました～」

何を言っているのかよくわからないが、紗奈は目を覚ます前のことを思い出した。

優汰にチョコを渡そうと思っていたけれど、何しろ優汰はモテる。そのためまわりには常にだれかがいて、チョコを渡すどころか告白なんてできる状況ではなかった。

バレンタインのチョコなんて嫌というほどもらっているだろうし、告白なんてしたってフラれることは目に見えていた。だから意味がないということに気づいた紗奈は、あきらめたのだ。

その日の帰りに、紗奈は事故にあった。で、この変な動物や神様だと名乗る男の子がいる世界に転生した（↑今ここ）というわけだ。

「え、待って、今おめでとうとかなんとか言わなかった？」

「はい。言いました。転生ってだれでもできることじゃないので」

「へぇ、そうなんだ……」

事故にあっておめでとうは違和感があるけれど、そうなってしまったのならしかたない。サーナ姫として第二の人生を歩むのもありかな、姫ってなんだか響きがいいし。と、単純な紗奈は思ったのだが、その結論に至った理由がもうひとつ……。

「サーナ姫、足元にお気をつけください」

そう言ってサーナの手を取ったのは、サーナの執事だという男、ユウ。すらりとした長身に、風になびく美しい金色の髪。このユウが、優汰にそっくりなのだ。似ているとかいうレベルではなく、髪色以外はもはや本人と言ってもいいくらいだ。

告白できなかった自分に同情し、神様がユウを執事にしてくれたのかもしれない。

なんにせよ、サーナ姫として生きる紗奈の第二の人生は、ユウの存在によってまぶしい日々となった。

ユウは、とにかくサーナを大切にしてくれる。常にそばにいてサーナを見守り、優しく微笑み、時に手を握ってくれる。現実の世界の優汰と同じく、ユウも他の姫たちから大人気なのだが、サーナに向けられる嫉妬の目からもユウは守ってくれた。

とにかく、ユウと一緒にいる時間は、サーナにとって何にもかえがたい幸福だった。

そのため、この世界でサーナがユウに恋心を抱くのに、そう時間はかからなかった。

そしてサーナは決心していた。今度こそ、ぜったいに告白すると。

バレンタインが来たらチョコを渡して告白するとか、タイミングとか、そんなものはどうだっていい。ただこの「好き」という気持ちを伝えたいと、サーナは強く思った。

「あのさ、ユウ」

石畳を歩いていたサーナは立ち止まり、後ろを振り返った。

「はい、なんでしょうか」

サーナの目を見つめるユウのその美しい顔が、優しい声が、穏やかな雰囲気が、サーナの心をとらえて離さない。

「伝えたいことがあるんだ。あのね、私……」

顔を上げたサーナの視界に、道を横切ろうとする小さな女の子が映った。転がってしまったりんごを拾おうとしているようだ。

すると、同時に道の先から馬車が迫ってくるのも見えた。馬が暴れているようで、左右に揺れながらものすごいスピードでこちらに向かってくる。反射的に、サーナの体が動いた。

「危ない！」

叫びながら走ったサーナは、女の子の体を道の反対側へ押し出した。だが次の瞬間、サーナの全身に強い衝撃が走る。

馬車にひかれたサーナの体が、スローモーションのように空へ舞った。

――あーあ。私って、こういう運命なのかなぁ。せっかく転生したのに、結局また告白できないで終わるのか……。

想いを伝えられずに終わってしまうことが、こんなに苦しいとは思わなかったな……。

もうろうとするサーナの視界から、光が消えていく。

どれくらいたったのか、まぶたを開くと真っ白な天井が見えた。蛍光灯の灯りが、少しまぶしい。ふと横を見ると、涙目で「紗奈」と名を呼ぶ両親。その奥に、なぜか優汰が立っていた。

「学校の帰りに車にはねられたのよ。近くにいた進藤くんがすぐに救急車を呼んでくれたの」

頭がぼんやりしていて母親の言葉はよく理解できなかった。けれど、ひとつだけはっきりとわかっていることがある。

結果はどうあれ、想いを伝えることこそが、何より大切なのだと。

「私、ユウ……優汰くんのことが、好きです！」

開口一番の告白に面食らっている両親の後ろで、優汰は一瞬目を丸くした。けれどすぐに、優汰は紗奈の目を見て優しい笑みを浮かべる。そして、ゆっくりと唇を開いた。

「俺も……——」

♥ episode - 06

たられば幸福論

あの時ああしていたら、今の僕はどんな日々を送っていたのだろう。

同級生の実家が営んでいるうどん屋を貸しきって中学の同窓会が行われた。一通り友人と言葉を交わしてから、ひとりテーブルの隅でポテトサラダをつまんでいると、

「神田くん？　変わってないねえー」

中学を卒業して以来、六年ぶりの金城が目の前に現れた。

「久しぶり。金城も変わってないよ」

「えー。そこはきれいになったな、って言わなくちゃ」

「なるほど。きれいになったな」

素直に言い直すと、「遅いっつの」と金城が口を大きく開けて笑う。中学の時と同じ

笑い方だ。やっぱり変わっていない。

　ただ、きれいになった、という言葉も決して嘘ではない。化粧をして、指先はキラキラと光を反射させる不思議な色に染められていて、服装は今どきっぽいおしゃれな格好になっている。金城は、きれいな女子大生になっていた。

「はー、走ったから喉渇いたー」

　そう言って、金城は僕の隣に座った。

「一時間の遅刻だな」

「バイトだったんですー。ちゃんと先に幹事に伝えてたから遅刻じゃないですー」

　金城は口を尖らせる。そのしぐさも昔のままで、つい吹き出してしまった。

　数年ぶりに言葉を交わしているのに、まるで昨日も会ったかのような自然な雰囲気と会話だ。金城も同じように思ったのか、「久々な感じしないのが不思議」と笑った。

　金城とは、中学の三年間同じクラスだった。出席番号が近かったことで話をするようになった僕たちは、卒業するまでまわりにつき合っているのかと誤解されるほど仲がよかった。

金城の、気さくな態度が一緒にいて楽しかった。映画や音楽、マンガなどの趣味が似ていて、よく情報交換もした。ふたりで映画を観にいったこともある。気がつけば毎日のようにメッセージのやりとりをし、深夜まで電話で話しこんだこともある。

男子と話すほうが楽しいし気楽な僕にとって、金城はゆいいつの女友だちだった。

――そして、僕の初恋の相手だった。

恋をした時点で友だち、とは呼べないのかもしれないけれど。

「どしたどした。ぼーっとして」

「中学の時はあんなによく連絡して会ってたのに、卒業したら一度も会わなかったなーって、改めて不思議だなと思っただけ」

「たしかにー。卒業しても神田くんとは遊ぶかなーって思ってたけど。っていうか神田くんが一度も連絡してくんなかったからだよね」

「金城も連絡くれなかっただろ」

「えー、てっきり卒業式で告白してくれるのかと思ってたらなんにも言わないんだもん。悔しいじゃん。傷心だったんだよわたしー」

わざとらしく涙をぬぐうフリをする金城に、何言ってんだよ、と突っこみを入れて、やっぱりそうだったよな、と心の中でだけ返事をした。

あのころ、金城も僕に好意を抱いてくれていた。そう感じていた。

でも中学生だった僕は、それがただの自意識過剰なのかどうかがわからなかったのだ。そして何より、金城が僕を好きじゃなかったとしてもかまわない、この気持ちを伝えなくては、と思えるほど勇気もなかった。

僕たちは同じ高校に進学しなかった。けれど、これまでの僕たちなら、学校がちがっても連絡を取り合い、遊びに出かける機会はあるはずだと思っていた。

だから卒業式の日、まだいいか、と、金城に自分の気持ちを伝えることから逃げた。じゃあな、といつものように別れのあいさつをして、金城に背を向けて帰ったことを今もはっきりと覚えてる。あの時、金城がどんな表情をしていたのかは、記憶にない。

でも結局、僕は金城に連絡をすることができなかった。もうクラスメイトではない自分が何を送ればいいのかわからなかったのだ。だから、金城から連絡が来ないかな、と思っていたが、結局一通のメッセージも送り合うことなく一年が過ぎた。われながらなんていくじなしの受け身根性なのかといやになる。

そんな自分にほとほと呆れて、金城への恋心もうすれてきたなと感じていたころ、金城と一緒に観にいった映画がテレビで放送された。

前日、あまり眠れなかったこと。手をつないでもいいのかとひとりで緊張していたこと（もちろんつないでない）。映画館の隣の席がいつもより近く感じて心臓が騒がしかったこと。当時のさまざまな気持ちがよみがえり、その瞬間、僕はまだ、金城が好きだと思った。

今からでも遅くないだろうか、時間が空いてしまったけれど、連絡しようか。

数日悩んでいた。その時だ。

「僕、一度金城を見かけたことがあるんだよな」

「え？　そうなの？　声かけてよ」

「そんなのできるわけないだろ。金城、彼氏と手をつないで歩いてたんだから」

僕よりも背の高い、金城と同じ学校の制服を着た男子だった。

あきらめられない、と思ったあの時、すでに遅かったのを僕は知った。

「え、あ、ああ。うわ、見られてたんだ」

少しバツが悪そうに、金城ははにかんだ。

卒業式の日、僕に勇気があれば、僕と金城はつき合っていたはずなのに。卒業してから今日まで一度も会わない、なんてことにはならなかったはずなのに。せめて、卒業後、金城に僕から連絡をしておけばよかったのに。

今日までの六年間、僕は何度もそんな『たられば』を想像した。

ずっと好きだったのかどうかは、会わなかった時間が長すぎてわからない。でも、ふとした時に金城のことを思い出し、そのたびに、あの時ああしていれば、こうしていれば、と考えて、胸にさびしさと後悔が広がった。

金城はなつかしむように遠くを見つめてから、

「あの人には悪いことしちゃったんだよねえ」

とつぶやく。

何があったのだろうかと首をかしげると、金城は頬杖をついて「神田くんを忘れたくて、つき合っちゃったからさ」と言った。

心臓が、震える。え、と小さな声が漏れる。

あの時、金城はまだ、僕のことが好きだったのか。じゃあもしも、あの時僕が声をかけていれば、いや、あのあと「見かけたよ」とメッセージのひとつでも送っていれば、僕らの関係は変わっていたのかもしれない。

鼓動が速くなる。もしかしたら、もしかしたら。

「……金城、今は？　だれか、つき合ってる人いるのか？」

声が震えていませんようにと願いながら、金城に聞く。金城は「んー」とさっきまでの気まずそうな表情を消して明るい声を発した。

「まだ、つき合ってるとは言えないけど、って感じかな？」

えへへと頬を赤らめた金城に、やっぱり僕は、遅かったんだ、と思った。

いつだって、僕は遅い。昔も今も、いつだってタイミングを逃すいくじなしだ。

部屋の片づけをしていると、同窓会の日、最後に全員で撮った写真が本棚のすきまから出てきた。写真を撮ってくれた友人が現像して、参加者ひとりひとりに郵送してくれたのだ。僕の隣には、金城が立っていた。

「あれから五年か」

金城とは、あれ以来一度も会っていない。友人から噂を聞いたこともないので、今はどこで何をしているのかわからない。

あの日、まだつき合っていないならと最後に告白くらいしておけばよかった、と相変わらず僕は何度も後悔した。告白しなくとも、友だちとしてつき合うことはできたかもしれない。そうしていたら。そうであれば――。

「亮輔、何してんの？」

背後にいた美波が僕に声をかけてきた。

「たられば、のこと」

振り返って答えると、美波は「何それ」と肩をすくめて笑う。

「ほらほら、サボってないで片づけないと、来週の引っ越しに間に合わないよー」

美波とは共通の友人をきっかけに出会い、もうすぐつき合って二年になる。

あの時金城に告白していたら、連絡していたら、声をかけていたら、僕は美波と出会えなかったかもしれない。今の僕にとってだれよりも大事な美波に出会えたのは、そして今の僕が幸せなのは、これまでの後悔のおかげだ。

以前は、たらればを考えて胸をしくしくと痛ませた。

今は、そばにいる美波のことを想うと幸せな気持ちになる。

「……金城も幸せでいてくれたらいいな」

美波にも聞こえないくらいの小さな声で、僕は写真に語りかけた。

♥ episode - 07

ハッピーエンドのそのあとは

「ようやく、あの城にたどり着けるわね」

「そうだな」

ユーリとカイトはたがいの手をぎゅっと握って、丘の上にそびえ立つ城を見上げた。

さかのぼること数週間。ユーリの住む村が突然悪魔に襲われ、ユーリの家族はみなさらわれてしまったのだ。

悪魔は人間をさらって奴隷にしているらしいと噂で聞いたことがあったけれど、本当にこんなことになるなんて、とユーリは落ちこんで泣いた。けれど、まだ全員命はあるはずだ。助けにいかなくちゃ！　と、たったひとりで村を飛び出してきたのだった。

「ようやくみんなを助け出せるな。あと少し、がんばろう」

ユーリとカイトはたがいの顔を見つめながら、うなずく。


カイトは、悪魔たちがいる城に向かう途中で出会った青年だ。

「この悪魔！　わたしの家族を返してよ！」

「うわっ！　やめろよ！」

荒廃した街にたどり着いた時、ユーリは暗がりで動く影を見つけた。悪魔だと思いこんだユーリは、捕まえて情報を聞き出すために背後から攻撃したのだけれど、逆にその手をつかまれてしまった。腕をかんだり暴れまくったりしたが、相手はユーリよりも力が強くびくともしなかった。

「僕も人間だ！」

よく見れば相手はユーリと同じ歳ごろの青年だった。ユーリが思いきり引っかいたせいで頬に血が滲んでいる。

「おまえ……女か。こんなところにいるなんて、おまえの家族もさらわれたのか？」

ユーリがうなずくと、青年も同じだと言う。

「あの……さっきはいきなりごめんなさい」

「ほんとだよ。おまえ悪魔より凶暴なんじゃないか？」

「ひどい！」

そうして行き先が同じふたりは、ケンカを重ねながらも協力してここまでやってきたのだ。最初は口が悪くてぶっきらぼうなカイトに腹を立てていたが、カイトはユーリが転びそうになれば手を引っ張ってくれたし、雨が降った時は服を頭にかぶせてくれた。不意に見せる優しさに触れて、ユーリはだんだんカイトに惹かれていったのだ。

「口は悪いけど、カイトって本当は優しいよね」

「急に変なこと言うな、アホか。別に優しくねえよ」

言葉は乱暴だが、よく見ると耳が真っ赤に染まっている。

「照れると口が悪くなるところもわたしは好きだな。ねぇ、家族を助けたら一緒に暮らそうよ。いいでしょう?」

「……おまえは、そういうことをサラッと言うなよ!」

「ほら、また照れちゃって! この先もふたりで生きていこうよ」

湯気が出そうなほど顔を赤くしたカイトは、ユーリが聞き漏らしてしまいそうなほど小さな声で「……いいに決まってるだろ」とつぶやいたのだった。

将来の約束を交わしたふたりの絆は固い。そして、いよいよ城は目前に迫っている。


夜の暗さに身を隠して、ふたりは城に潜りこんだ。ユーリたちが苦労して手に入れたゼラニウムの花を燻して城中の悪魔たちを浄化している間に、家族を探していく。

「父さん! 母さん! 助けにきたよ!」

地下にはたくさんの人間が監禁されていて、その中にふたりの家族もいた。弱っているけれど、まだ悪魔に操られてはいないようだ。

「ユーリ! こんなところまで女ひとりで助けにきたのか!」

「父さんちがうの。ひとりで来たわけじゃないよ」

　これまでの事情を説明すると、ユーリとカイトの結婚を両親は喜んで許してくれた。朝日がのぼり、ふたりは笑顔で見つめ合う。家族を救い出し、生涯の伴侶も得た。これ以上ないほどのハッピーエンドだ。ユーリはカイトの手を強く握る。まるでふたりを祝福するように、華やかな音楽が響く。ふたりはおどろきつつもうっとりとその音色に聞き入った。そして……世界は闇に包まれた。

「ふう、クリアまで一週間もかかっちゃった。ユーリとカイトのカップル展開は熱かったし楽しかった！　でもまぁ、もうやらないかな。次のゲームは何にしようかな～」

　美しい音楽が流れる黒い画面には、制作にかかわった人たちの名前が映っている。人気ゲーム「デーモン・エクスターミネーション」の世界で存在する主人公のユーリと相手役のカイト。ゲームがエンディングを迎えた今、ふたりの手がつながれることは二度とない。

♥ episode - 08

ホタルの森

「おばあちゃん！　こっちの草むしり、終わったよ」

「ありがとう、ことみちゃん。それじゃあ家に帰って、おそうめんでも食べようか」

「このトマトも食べていい？」

「あれ、ことみちゃんはトマト、苦手なんじゃなかったっけ？」

「そうだったんだけど……おばあちゃんちのトマトは、おいしいから好きになっちゃった！」

中学一年生の夏休み。ことみはおばあちゃんの住む田舎に、ひとりで遊びにきていた。

小さいころから体が弱く、小学校を休みがちだったことみ。病気がよくなり、中学校に通えるようになったけれど、仲のいい友だちができない。どうやって友だちをつくればいいのか、わからないのだ。

悩んでいるうちに夏休みになってしまい、部屋に閉じこもりがちだったことみに「おばあちゃんちに遊びにいったらどう?」とお母さんがすすめてくれた。

家にいても退屈だったため、ひとりで電車に乗って、山に囲まれたこの村にやってきたのだ。

でも田舎での暮らしは、思っていたよりずっと楽しかった。

おばあちゃんと畑仕事をしたり、野山を歩いたり、おいしい食べ物をたくさん食べたり……。ことみは体も心も、ぐんぐん元気になっていった。

だけど友だちのつくり方だけはやっぱりわからず、新学期を迎えるのが不安だった。

「あれ……ここはどこだろう?」

ある日の夕方、ことみはおばあちゃんに「ちょっと散歩してくるね」と言って家を出た。このあたりの道はもう覚えたから、ひとりでも大丈夫……なはずだったのに。

きれいな花が咲いているのが見えて、ふだんは行かない森の中に足を踏み入れたら、道に迷ってしまったのだ。ことみを取り囲むように生い茂る、緑の木々。カラスの鳴き声が聞こえて、あたりもうす暗くなりはじめ、だんだん泣きそうになってくる。

「おばあちゃん……」

その時だ。突然ことみの前に、見知らぬ男の子が現れたのは。

「きみ、こんなところでどうしたの？」

ちょっとかすれた、声変わりの途中みたいな声。ことみと同い年くらいの、きれいな顔をした、優しそうな男の子だ。ことみはおどろきながらも、小さな声で答えた。

「帰り道が……わからなくなっちゃって……」

すると男の子が静かに微笑んで、少し先を指さして言った。

「あの小川に沿って歩けば、集落までたどり着けるよ」

うす暗くて小川が見つからずきょろきょろしていると、男の子がことみの手を取った。

「こっちだよ」

男の子に手を引かれて歩く。透き通った水がさらさらと流れる、小さな川が見えた。

「森の出口まで案内してあげる」

「あ、ありがとう」

一緒に小川に沿って歩いていくと、うっそうとしていた木々が途切れ、見慣れた道が見えてきた。

「ここからひとりで帰れる？」

「うん！　大丈夫。本当にありがとう！」

男の子は手を離して、また森の中へ戻っていこうとする。

「あの……あなたはおうちに帰らなくていいの？」

しかし男の子は優しく微笑むだけで、それには答えずにこう言った。

「ぼくはいつも、この森にいるよ」

無事におばあちゃんの家に帰ってからも、森の中で出会った男の子のことをずっと考えていた。

　そして翌日、ことみはおばあちゃんの家の台所でクッキーを焼くと、それを持ってドキドキしながら森へ向かった。

　また迷子になったら怖いけれど、昼間なら明るいし、小川に沿って歩けば迷うことはないだろう。それにどうしても、あの男の子に会ってお礼をしたかったのだ。

　少し歩くと、森の中にあの男の子がいた。

「こ、こんにちは」

　勇気を出して声をかけたら、男の子はにっこり笑って答えてくれた。

「こんにちは。今日はどうしたの？」

「あの、これ……わたしがつくったの。よかったら食べて？」

　思いきってクッキーを渡すと、男の子はうれしそうに目を細めた。

「ありがとう。お菓子をつくれるなんて、すごいね」

　家族以外に話したことはないが、ことみはお菓子づくりが大好きだった。

自分の好きなことをほめてもらえて、すごくうれしい。

その日は小川のほとりに座(すわ)ってクッキーを食べながら、夕方までおしゃべりをした。


それから毎日、ことみは男の子に会いに森へ出かけた。

男の子の名前は「ホタルくん」というらしい。ホタルくんはいつも、森の中にいた。

きっとこの森の奥(おく)に、ホタルくんの家があるのだろう。

ことみは時々(ときどき)、ゼリーやカップケーキをつくって森に持っていった。それを食べながらふたりで過(す)ごす時間が、ことみはとても楽しかった。


ある日、ことみは思いきって、ホタルくんに悩(なや)みを打ち明けてみた。

「わたし、友だちのつくり方がわからないの」

するとホタルくんがこう言った。

「ぼくだってわからないよ」

でもホタルくんはすごくきれいな顔をしているし、優しいし、きっと学校の人気者なんだろう、と、ことみは思っていた。

「だけど勇気を出して、ことみちゃんに声をかけたら、友だちになれた」

「友だち……」

そうか。わたしたち、もう友だちなんだ。

「だからことみちゃんも、ほんのちょっと勇気を出して声をかければ、きっとすぐに仲良くなれるよ。ぼくにクッキーをくれた時みたいにさ。ことみちゃんは、すごく優しい、いい子だから」

優しくていい子なんて言われて、ことみははずかしくなる。

「心配になった時は、ぼくのことを思い出して？　いつもことみちゃんのこと、応援しているからね」

自信のないことみをほめたり、励ましたりしてくれるホタルくん。ことみはホタルくんのことを「すてきな人だな」と思いはじめていた。

でも、新学期になったら、もうここには来られない。

ホタルくんと会えなくなると思うと、さびしくて胸がしめつけられた。


日々は流れ、もうすぐ夏休みが終わってしまう。

ことみはますます、ホタルくんと別れたくないと思っていた。

本当はずっとずっと一緒にいたい。だけどそれは無理だってことも、わかっている。

いつの間にかことみは、ホタルくんを好きになっていたのだ。


ことみは最後にもう一度、クッキーをつくって渡そうと思った。

「今日はクッキーをつくったんだね。そういえば、どこの家の子と友だちになったんだい？」

「森の中に住んでる子だよ」

おばあちゃんに話すと不思議そうな顔をした。

「そんなところに家なんかないよ」

「でも、いつも森の中にいるんだよ」

首をかしげるおばあちゃんを残し、ことみはクッキーを持って森へ出かけた。

クッキーを渡すと、ホタルくんはすごく喜んでくれた。でもこうやって話せるのも、今日で最後だ。さびしくて、いつまでも話していたかった。

気づくとあたりはうす暗くなっていた。カラスが山のほうへ帰っていく。

「もう帰らなきゃ」

急いで小川に沿って走り、ホタルくんと一緒に森の出口まで来る。

「さよなら、ことみちゃん」

「うん、さよなら、ホタルくん」

涙がこぼれそうになるのを隠すように、ことみは背中を向けた。

そのまま二、三歩歩いたところで、足を止める。

「さよなら」という言葉が、永遠の別れのような気がした。そんなのはいやだと思ったからだ。

しかし振り返ると、もうホタルくんの姿はなかった。

「ホタルくん？」

また次に来た時、ホタルくんに会いたい。また会おうねって、約束したい。

そう思ったのに……。

ショックで立ちすくみ、しばらくうつむいていたことみは、ふと、何かの気配を感じて顔を上げた。

「わぁ……きれい」

小川のまわりを、小さな蛍が何匹も飛び交っている。蛍を見たのなんて初めてだ。

その時、迎えにきたおばあちゃんに声をかけられた。

「ことみちゃん！　遅いから心配したよ」

「ごめんなさい。ホタルくんと次の約束がしたくて……」

おばあちゃんはその名前を聞いて、悲しそうな顔をした。

「ことみちゃん、よく聞いてね？」

おばあちゃんは十年前、この森で男の子が行方不明になった話をしてくれた。当時十三歳だったその男の子の名前は――「蛍」。

おどろいたことみは、おばあちゃんに聞いた。

「その子は……もう生きてないの？」

「わからない。でも十年も行方不明で……。森の奥で、川に転落したんじゃないかって言われてるんだよ」

「でもわたし会ったんだよ。ホタルくんと友だちになったの」

おばあちゃんはさびしそうに言った。

「そうだね。きっとことみちゃんと、お友だちになりたかったんだね」

蛍の飛び交う小川を見ながら、ことみは考える。

ホタルくんは幽霊だったの？　もうホタルくんには会えないの？

そう思ったら悲しくなった。

自信のないことみに自信をもたせてくれた、優しくて、すてきな男の子。

「もう会えないなんて……いやだよ」

その時。蛍が一匹、ことみの目の前に飛んできた。

手を伸ばしたことみの耳に、ホタルくんの声が聞こえてくる。

「ことみちゃんはもう大丈夫。ぼくと友だちになれたように、他にもいっぱい友だちができるよ。自信をもって。ぼくはここから、ことみちゃんをいつだって応援してるから」

ことみの指先をすり抜け、蛍は川に沿って森の奥へ消えていく。

ぎゅっと手のひらを握りしめ、ことみは前を向いた。

「ありがとう、ホタルくん。わたし、頑張ってみるね」

ことみはおばあちゃんと夜道を歩きながら、新学期になったら、ちょっと勇気を出してクラスの子に声をかけてみようと、心に誓った。

♥ episode - 09

友だち最後の日

外は、ほんのりと肌寒く、けれど心地のよい青空が広がっていた。

「雄吾は最後までその変なジュースかよ。好きだなあ」

「最後なんだから、やっぱりいつものバナナきなこオレじゃないと」

「それ、この店でしか見たことないんだけど」

通学路の途中にある小さな駄菓子屋の冷蔵庫の前で、おれと雄吾はいつもの会話をする。おたがいの家はこの店から反対方向にあるので、学校帰りはいつもここに立ち寄っていた。そして、店の前にあるベンチでだらだらとしゃべってから家に帰る。

それは、中学卒業を迎えた今日も変わらない。

「こんなふうに雄吾と学校帰りに過ごすのも今日で最後かー。幼稚園から一緒だったから、四月から学校に雄吾がいないとか、想像すると変な感じ」

物心ついた時には、おれの隣には雄吾がいた。もちろん小学校も中学校も同じだった。クラスは何度も分かれたけれど、おれたちはいつもそばにいた。

けれど、おれは家から近い公立高校、雄吾は隣の県にある国内トップレベルの偏差値を誇る私立の男子校に進学が決まっている。

「すぐ慣れるよ。琉はだれとでもすぐ仲良くなれるから、俺のことなんか忘れるかも」

「んなわけねえだろ」

おれが即答すると、雄吾は「そっか」とはにかんだ。女子に人気のはにかみだ。

雄吾は、男のおれから見ても、きれいな顔をしているな、と思う。雄吾のはにかみは、おれも一瞬見惚れることがあるくらいで、女子に人気なのも納得だ。

幼い時から雄吾はかわいかった。体も小さくて血と虫が苦手で、おれが遊んでこけたらいつも泣きながら心配していた。虫を見つけるとおれの名前を叫びながら泣いていた。

そんな雄吾を、おれはいつも兄のように面倒をみていた。

だというのに、いつの間にか雄吾はおれの身長を超えた。苦手なものは変わらないが泣くことはなくなった。優しい性格も昔のままだが、大人の落ち着きを感じさせるもので、おれと雄吾は兄や弟のような関係ではなくなり、唯一無二の、親友になった。

「どんな高校生活になるんだろうなー。彼女できっかなあ」

「彼女っていうか、雨宮さんとつき合えるかな、だろ？」

雄吾に突っこまれて、うぐ、と言葉に詰まる。図星だからだ。一年前からおれは同じクラスの雨宮のことが好きだ。だれにも言うつもりはなかったのだが、雄吾にはすぐに気づかれてしまった。

「雨宮さんとは同じ高校だからあせることはないけど、さっさと告白したらいいのに」

「あーうるせえうるせえ。雄吾こそ、今日女子に告白されたのに断っただろ」

「俺は別に彼女ほしいと思ってないもん」

今日だけではなく、雄吾はこれまでも何度か告白されたことがあるのをおれは知っている。そして、そのすべてを断っていることも、もちろん知っている。

「雄吾は、一度つき合ったらめっちゃ彼女大事にしそうだよな。好きになったらずーっと好きじゃん。そのバナナきなこオレみたいにさ」

おれが言うと、雄吾は一瞬おどろいたような顔をしてから「そうだな」とつぶやいた。

何かまずいことを言ったのだろうかとあせる。

「でも、これは今日で最後にするつもりなんだ」

「え？　なんで？　いや、雄吾の好きにしたらいいけどさ。でも、じゃあこれからは何飲むんだよ」

他に好きなジュースができたんだろうか。

首をかしげるおれに、雄吾は少し、さびしげに眉を下げて笑った。

「もう、ここに来ないから。明日、俺の通う高校の近くに家族で引っ越す予定なんだ。父さんも、そっちのほうが会社に近いみたいでちょうどいいなって」

「――は？」

おどろきで視界が揺れた気がした。

どういうことだ。なんで。しかも明日？　どうしてそれをおれに言わなかったんだ。なんでだ。なんでそんな大事なことを、今言うのか。隠していたのか、それとも、言えなかっただけなのか。

でも、目の前の雄吾はどこか、スッキリした表情をしている。今日で何かから解放されるかのような、そんな顔だ。

「だから、琉に会うのも、今日が最後」

雄吾はそう言って、すっくと立ち上がった。あわてて雄吾の腕をつかむ。

「いや、いやいやちょっと待て。引っ越しはまだしも、だからってなんで今日が最後になるんだよ。離れたって会おうと思えば会えるだろ」

なんでそんなこと言うんだ。どうしたんだよ。もしかしたら雄吾は、おれと離れたくて別の高校を選んだんじゃないかとすら思えてきた。

なんで。これまで過ごしてきた雄吾との時間が、走馬灯のようによみがえる。親友だと思っていたのは、おれだけだったのだろうか。

雄吾の腕をつかむおれの手に、雄吾が手を重ねてきた。雄吾ははにかんでいた。

「俺、琉が好きなんだ」

「……え？」

「俺とつき合ってくれるなら、これからもそばにいる」

目を瞬かせて、雄吾のセリフを脳内でくり返す。

「な？　無理だろ？　だって琉は、雨宮さんが好きなんだから」

とまどうおれを無視して、雄吾は話を続けた。

「琉のことが好きだから、琉と一緒にいると苦しいんだ。だから、もう今日で最後にしたい。琉を好きなことも、琉と過ごす時間も」

ゆっくりと言葉を紡ぎながら、雄吾はおれの手を引きはがしていく。

「ばいばい、琉」

黙ったままのおれを置いて、雄吾は去っていく。おれは何も言っていないのに、おれの答えを決めつけて——いや、おれのことをなんでも知っている雄吾だから、すべてわかっていたのだろう。

　さっきまで雄吾の座っていた場所には、バナナきなこオレが残されていた。手を伸ばして持ち上げると、半分ほど残っているのが重さでわかる。

　ストローに口をつけて飲みかけのそれを口に含むと、以前飲んだ時と同じように、あまりおいしくは感じなかった。きなこが強すぎて、ほんのわずかに香るバナナが妙に後味を悪く感じさせる。

　ついさっきまで当たり前だったふたりの時間は、気がつけば最後の日だったらしい。

　おれは今日、だれよりも大事で大好きだった友だちを、失った。

　じわりと、涙が浮かぶ。

　高校でたくさんの友だちに囲まれても、彼女ができても、それが雨宮でもそうでなくても、この店を二度と訪れなくても、バナナきなこオレがこの世から消えても。

「おれが雄吾を忘れるわけないだろ」

♥ episode - 10

君を忘れない

とある村のはずれにとても仲のよい老夫婦が住んでいました。ふたりは若いころに出会って以来、たがいを思い合って暮らしてきたのです。

「おばあさん、今日は隣村の橋の修繕の手伝いに行ってくるよ」

「いってらっしゃい。今夜はおじいさんの好きなシチューをつくって待っていますね」

「それはうれしいね。働きがいがあるよ」

「ケガには気をつけてくださいね」

おじいさんは働き者で、昔からいろんな人に頼られていますし、おばあさんは料理上手で毎日のようにおばあさんに料理を教えてもらおうと人が訪ねてきます。ふたりは村中の人から愛される、評判のおしどり夫婦なのです。

「村の若い連中はみんな、ふたりのような夫婦になりたいと言っているぞ」

村長さんはふたりの顔を見かけるたびに同じことを言います。

「まぁまぁ、うれしいことを言ってくれますね。わたしたちこそ、優しい人たちに囲まれながら暮らすことができて幸せですよ」

おばあさんはうれしそうに話し、隣にいるおじいさんはそんなおばあさんを愛おしそうに見つめているのでした。もちろん、ふたりの手は固くつながれています。


ある日のこと、いつものように村の手伝いに出かけようとしたおじいさんが、玄関で倒れてしまいました。

「おじいさん！　しっかりしてください！」

おばあさんの悲鳴を聞いた近所の人が駆けつけ、医者を呼んできてくれました。しかしやってきた医者の表情は暗く、おばあさんの不安は大きくなるばかりです。

「心臓がとても弱っています。残念ながら、もう長くはないでしょう」

「そんな……！　昨日まで元気に働いていたのに……」

「きっと無理をしていたんですね。とにかく今は安静にしてください」

おばあさんは、ベッドで眠るおじいさんを見て、涙が止まりませんでした。この先もまだまだふたりで一緒に楽しく暮らせると思っていたのに、突然目の前が真っ暗になってしまったようで、大好きな食事の準備をする気持ちにもなれません。

「おばあさん、そんな悲しそうな顔をしないでおくれ」

しばらくして目を覚ましたおじいさんは、涙の痕が頰に残るおばあさんを見て、困ったように笑っています。

「君は泣いている顔もすてきだけれど、やっぱり笑った顔のほうがいいな」

おじいさんはいつものおじいさんと何も変わっていません。病気になっても、おばあさんを笑顔にしようとしてくれます。

「そうですか？　どんな顔のわたしでもいいと言ってくれたじゃないですか」

「もちろんだとも。その中でも笑顔のおばあさんがいちばん好きなんだよ」

おばあさんは、ようやくいつものようににっこりと笑いました。この先もずっと笑っていようと思いました。たとえ、一緒にいられる時間があと少しだとしても。

「おなかは空いていませんか？　野菜をたっぷり煮こんだスープをつくりましょう」

「いいね。いただこう」

おばあさんはキッチンへと向かいました。大好きな人のために料理をつくる時間こそ、幸せそのものだとおばあさんは知っているのです。


それから数日が過ぎたころ、ふたりの家に客人がやってきました。

「ごめんください。病人がいると聞いてきたのですが」

長くこの村に住んでいるふたりですが、見たこともない青年です。

「たしかにうちの夫が病にふせっておりますが、あなたはどなたでしょう？」

青年を招き入れ、庭でとれたミントのお茶を出すと青年はにっこりと笑います。

「僕は魔法使いです。どんな病気でも治すことができます。村で評判のおじいさんが倒れたと人づてに聞いて、ここまでやってきました」

この世界には不思議な力が存在していることをおばあさんは知っていました。魔法使いが世界のどこかにいるだろうとも思っていました。でも、まさか自分の家にやってくるとは夢にも思っていませんでした。

「まぁ！　おじいさんのためにわざわざ来てくれたのですか？　今は奥の部屋で休んでいます。ぜひ看てやってください」

魔法使いの青年はお茶を飲み干すと、おじいさんが休んでいる部屋にやってきて、おじいさんの体に手をかざしました。

「なるほど、たしかに心臓が弱っているようですね」

「治してくださいますか？」

青年はにっこりと笑っています。

「もちろんですよ。僕は魔法使いですから」

おばあさんは、喜びのあまり涙があふれてきます。

「ありがとうございます！　すぐにでもおじいさんの病気を治してあげてください！」

「ただし、魔法を使うにあたりひとつだけお伝えしなければいけません。そのうえでふたりでよく話し合って、病気を治すかどうか決めてください……」

それに続いた青年の言葉は、おばあさんの心に希望と絶望を与えるものでした。

「僕は三日後の夜にまた来ます。それでは、おいしいお茶をごちそうさまでした」


「……つまり、その魔法使いの青年は、わしの病気を治すことができる。だが、そのかわりにわしは記憶を失う、ということなんだね？」

目を覚ましたおじいさんに、おばあさんは魔法使いの青年のことを話しました。

『病気を治すことはできます。でもその代償として、彼はすべての記憶を失ってしまいます。つまり、おばあさん、あなたのことも忘れてしまうのです』

青年はそう言ったのです。おばあさんはおどろいたものの、心は決まっていました。

「……ふたりでよく話し合うようにと言っていました」

「わしは、君のことを忘れるくらいならこのまま天寿をまっとうするよ」

「わたしは、わたしのことを忘れてしまっても、おじいさんに長生きしてほしいです」

ふたりは同時にそれぞれの答えを口にしました。今まで、ふたりの気持ちはいつだって同じでした。小さな家を建てる場所も、休日の過ごし方も、夕飯のメニューも、ふたりはいつも同じ気持ちだったのです。長い結婚生活ではじめて分かれた意見に、ふたりはおどろきました。

「どうか生きてください、おじいさん」

「君のことを忘れてまで長生きしたいとは思わないよ。十分楽しませてもらったしね」

「わたしはまだまだ足りません。あなたと一緒においしいご飯を食べて、お話をして笑い合う時間がもっともっと欲しいです」

おばあさんは泣きながらお願いしましたが、おじいさんの気持ちは変わりませんでした。与えられた時間の中で何度も話し合いをしましたが、結局ふたりの気持ちが一致することはありませんでした。やがておばあさんは、笑いながらうなずきました。

「あなたってば、こんなに頑固だったのね」

「知らなかったのかい？　あぁ、そうだ、今夜は気分がいいからシチューが食べたいな」

「もちろんですよ。すぐに用意しますね」

その晩、ふたりはいつものように笑いながら食事をしました。おばあさんは、心の中で一度だけおじいさんに謝りました。

（ごめんなさいね。わたしはどうしても、あなたに生きていてほしいのです）

おばあさんは、おじいさんに内緒で魔法使いにお願いすることに決めました。結局のところ、ふたりは似た者同士の頑固者なのです。たがいに気持ちを変えることはできませんでした。

そして約束の夜、魔法使いの青年が再びやってきました。おばあさんの気持ちを聞いて満足そうに微笑むと、眠るおじいさんの胸に手を当ててから、パチンと指を鳴らしました。

「明日の朝には、病は治っていることでしょう」

「ありがとうございます。ありがとうございます！」

おばあさんは何度も何度も青年にお礼を言い、彼の姿が見えなくなるまで頭を下げて見送りました。

「さて、明日の朝食の仕込みをしなくちゃね」

おばあさんは、しわだらけの手で包丁を握り、トントンとリズムを刻みながら準備をはじめました。ふと、その手になつかしいぬくもりがよみがえってきます。おじいさんはいつだっておばあさんの手を優しく握ってくれました。

たとえ明日の朝、おじいさんがおばあさんを忘れてしまっても、おばあさんがあの優しい体温を忘れることはないのです。

「はて？　ここはどこだろう？」

目が覚めたおじいさんは、とまどうようにきょろきょろと部屋の中を見渡しています。

「目が覚めましたか？　食事をどうぞ。野菜と豆のスープです」

おばあさんの姿を見ても、不思議そうに首をかしげるだけです。そんなおじいさんを見ても、おばあさんは泣いたりしません。おじいさんがいちばん好きだと言ってくれた笑顔でいようと決めていたのです。

「さぁ、めしあがれ」

ほかほかと湯気ののぼる器と、にこにこ笑うおばあさん。おじいさんはそれを見て、ゆっくりと口を開きました。

「あの……初めて会う人にこんなことを言うのは失礼かもしれないけれど……あなたに恋をしてしまったようです。どうか、ぼくと結婚してくれませんか？」

記憶がなくなっても、おばあさんへの気持ちはなくならなかったようです。

おばあさんは必死に涙をこらえながら、とびきりの笑顔でおじいさんの手をぎゅっと握ったのでした。

♥ episode - 11

誕生日の願いごと

「おはよー」

二年一組の教室に入ったあたし、松本陽菜は、廊下側にある自分の席ではなく、窓際のいちばん前の席に直行した。

窓から差しこむ朝日が、机にふせている青井湊の髪を照らしている。

黒髪なのに、光に当たるとちょっと茶色いんだよね。しかも、くせ毛のあたしとちがって湊は小さいころからずっとさらさらだし、ずるいよなぁ。

なんてことを思いながら口を開く。

「ちょっと！　登校してきてすぐ寝るとか、ありえないんですけど」

あたしは体操着の入った袋を持ち上げ、湊の後頭部に向かってためらいなく振り下ろした。

——ボスッ。

気の抜けたような音が鳴ると、湊は頭を押さえながらのっそりと顔を上げる。

「いって～な。朝っぱらから何すんだよ！」

「やわらかいんだから、痛いわけないじゃん」

「不意にやられたら痛いって脳が判断すんだよ！」

「何それ、意味わかんない。ていうか、そんなことよりこれ」

そう言って、あたしは一枚のプリントを湊に渡した。

「今日締め切りのプリント。湊が忘れたからって、おばさんが家まで来たんだからね」

「あぁ、そういや忘れてたわ」

プリントを受け取った湊は、起きていても眠そうにたれ下がった目をこすり、大きなあくびをした。

「ありがとうとかないわけ？」

腕を組みながら、湊を見下ろすあたし。

「はいはい、ありがとさん」

「何その言い方！　もうちょっと心をこめて――」

と言いかけたところでチャイムが鳴り、担任の先生が教室に入ってきた。

「ほら、席に着けー」

「え～、もうちょっと見たかったな～」

クラスのだれかがそう言うと、教室の中にどっと笑いが起きた。湊に向かって軽く舌を出したあたしは、みんなの笑い声に見送られながら自分の席に着く。

中学二年生になって半年が経過した今、こうやってあたしと湊が言い争う姿は「一組名物ケンカ漫才」なんて言われたりもしているけど、あたしと湊がなんでも言い合えるのは、いわゆる幼なじみだからだ。

湊とは家が隣同士で、覚えてないくらい小さいころからいつも一緒に遊んでいた。

小学校も四年生までは毎朝一緒に登校していたし、帰りもなんとなく一緒に帰って、当時習っていた書道も一緒に通っていた。

だけど五年生になったとたん、湊はあたしと一緒に学校に行くのを嫌がった。

お母さんたちは「これも成長ね～」「男の子は照れ屋だから」なんて言っていたけど、あたしには意味がわからなかったし、正直さびしかったんだ。

たぶん、その時だと思う。あたしが湊を好きだって、気づいたのは。

一緒にいられる時間が少しずつ減っていくのと同時に、あたしの湊に対する想いはどんどん大きくなっていった。不思議だな。もっと早く好きだって気づいていれば、いつも一緒に遊べて一緒に登下校もできていたのに。今じゃ一緒に過ごせるのは、教室で同じ授業を受けている時だけなんだから。

でも、「好き」だなんて、湊には口が裂けても言えない。この関係が壊れるのは嫌だから、あたしは自分の想いを必死に閉じこめる。

ぜったいに開かないように、何個も鍵をかけて……。

日曜日、あたしはお母さんと一緒にショッピングセンターに来た。

混雑している食品売り場に行くのが嫌だったあたしは、お母さんが買い物している間、ひとりでぶらぶらとお店を見てまわることにした。

文具類や小物、カバンなど、かわいい雑貨がたくさんそろっている雑貨屋に入ると、反対側の棚の前に見覚えのある後ろ姿を見つけた。

湊は腕を組み、なんだか難しそうな様子で文房具が並んでいる棚をじっと見つめていた。何か悩んでいるように見える。

バレないように静かに湊に近づき、肩をポンと叩いて「よっ！」と声をかけた。その瞬間、湊はビクッと肩を震わせながら「うわっ」と声を上げる。目をまん丸くして、お化けでも見たかのような反応だ。

「こんなところで何してんの？」

あたしが聞くと、湊はキョロキョロと目を泳がせた。

「あぁ、えっと、買い物」

「湊がこのかわいいお店に？　何買いにきたの？」

「あの、おれっていうか、まぁおれが買うんだけど、なんつーかさ」

いつもならもっとテンポよく返してくるはずなのに、なんかあやしい。

「もしかして、プレゼントとか？」

湊は目を見開いて一瞬だけあたしを見たあと、言い返すことなく黙ってうつむいた。

——えっ？

冗談のつもりで言ったのに、まさか当たっちゃったの？

はずかしそうに目をそらす湊の顔が、みるみる赤くなっていく。

湊のこんな顔、見たことない。プレゼントって、だれに？　誕生日とか……？

そう思ったとたん、今度は自分の顔が一気に熱くなるのを感じて、とっさにうつむいてしまった。

明日、あたしの誕生日なんですけど……。もしかして、あたしのために？

小学四年生まで、あたしと湊はおたがいの誕生日に折り紙や手紙なんかを贈り合っていた。だから誕生日は覚えているはずだ。

静かに深呼吸をして心を落ち着かせてから、顔を上げた。

「も、もし女の子へのプレゼントだったら、アドバイスしてあげてもいいけど。お母さんの買い物が終わるまで、あたしもヒマだし」

いつもなら「別にいい」とか返してくるはずなのに、湊は目をそらしたまま「ありがとう」とつぶやいた。

そんな小さな違和感に、胸の奥のほうがなんだかくすぐったくなる。

「ほら、これだよ」

店の中を少し移動してあたしが指さしたのは、小さなクマがついたキーホルダーだ。

「なんか普通だな。女子はこんなのがいいのか？」

「ほんと湊は流行りを知らないよね～」

「うるせぇ」

「これはね、最近バズった、願いが叶うって噂のキーホルダーなんだよ」

クマにはいろんな色があって、色によって叶う願いごとがちがうらしい。

たとえば黄色だと友情、緑だと学業、青だと夢。そしてピンク色のクマは、好きな人にあげると両想いになれると言われている。

「願いごとがあるなら、その色で決めたら？　だれにあげるか知らないけど……」

ピンク色のクマを真剣に見つめている湊を、あたしはじっと見つめた。

小さいころから見慣れた横顔なのに、今日はなんでこんなにドキドキするんだろう。

「あたし、そろそろお母さんのところに行かなきゃいけないから」

「うん。ありがとな」

少し照れ臭そうに鼻をかいた湊の手には、ピンク色のクマが握られていた――。


翌日の月曜日。

何人かの友だちに「誕生日おめでとう」と言われたけど、それ以外は特別なことなんて何もないまま、お昼休みになった。

「松本」

手を洗っていると、湊に声をかけられた。

「湊、どうしたの？」

いつも通り返事をしたつもりだけど、声は震えるし、なぜかやたらと胸が騒ぐ。

「あのさ、これ。買い物つき合ってくれたお礼っつーか、なんつーか」

周囲を気にしながらグッと突き出してきた湊の手には、かわいい水玉模様の袋が握られている。あの雑貨屋の袋だ。

「あ、ありがとう……」

そう言って受け取ると、湊は逃げるみたいに急いで教室に戻っていった。

やっぱりあれは、あたしのために選んでくれてたってことなの？

トイレに駆けこんだあたしは、袋の中に手を入れ、ゆっくりと中身を取り出した。

「あっ……」

出てきたのは、湊に教えてあげたあのクマのキーホルダーだ。

でもその色は、ひまわりみたいなきれいな黄色だった。

「黄色か……」

あたし、なんでがっかりしてるんだろう。湊が選んでプレゼントしてくれたんだから、別に黄色のクマだっていいじゃん。ピンクじゃなくたって……別に……。

一日の授業が終わると、ひとりで学校を出た。いつもなら友だちと一緒に帰るんだけど、今日はなんだかひとりでいたい気分だったから。

いつもの帰り道、同じ制服を着た生徒が同じ方向に向かって歩いている中で、あたしは自然と湊の姿を探していた。

湊はいちばんに教室を出たから、もうとっくに帰ったはずだ。いるわけないのに。

ため息をついて顔を上げたあたしの目に、ななめ前を歩く女子生徒のリュックが飛びこんできた。同じクラスの坂上こころちゃんだ。

「こころちゃん！」

思わず駆け寄って声をかけると、こころちゃんはおどろいて足を止めた。

「あ、ごめん、あのさ、それ……かわいいね。買ったの?」

あたしは、リュックについているキーホルダーを指さした。するとこころちゃんは、はずかしそうに身をすくめながら、首を小さく横に振った。

「買ったんじゃなくて、えっと……今日、青井くんにもらったの」

こころちゃんの頬は、リュックについているクマと同じ色をしている。はずかしそうなその顔は、プレゼントを選んでいた時の湊の表情と、少し似ていた。

こころちゃんは、おとなしくて真面目でとても優しい子だ。あたしとは正反対の……。

「……そっか。じゃあ、また明日ね」

キュッと唇をかんだあたしは、精一杯の笑顔をつくって、こころちゃんに手を振った。

湊は急にあたしと学校へ行くのを嫌がって、いつの間にかあたしを陽菜じゃなくて松本って呼ぶようになった。だけど変わったのは、湊だけじゃない。

あたしだって昔は、湊に「足速いね」とか「おもしろい」とか「一緒に遊ぼう」とか、素直になんでも言えていたのに、だんだん本音を言うのがはずかしくなっていったんだ。わざとふざけたり、怒ったふりをしているうちに、本当のことが言えなくなった。

もしもあたしが、もっと早く「好き」って素直に言えていたら、何かちがっていたのかな。

家に帰ったあたしは、湊からもらった黄色いクマを握りしめ、こみ上げてくる涙を必死に抑えながらメールを送った。

【プレゼントありがとう！　これからも、ずっと友だちだからね！】

それでもやっぱり、あたしは素直になれない……。

♥episode - 12

彼女は宇宙に行きたかった

「あたしは、いつか、宇宙に行くの」

幼なじみの碧が、にっと八重歯を見せながら、これまで百回は言ったであろう夢をぼくに語った。

「じゃあ、前から言ってるけど、碧は勉強したほうがいいと思う」

今日返却された中間テストの点数が5点だったのをぼくは知っている。しかもそれは英語だった。宇宙に行くなら英語が必要なのでは。もしくは膨大なお金。

「わかった！　総理大臣になれば宇宙に行けるんじゃない？」

「総理大臣なら宇宙に行かずに政治をしなきゃいけないんじゃない？」

現代社会のテストはたしか21点だったよな、とも思った。

あと碧がこの国のトップに立つのは、不安でしかないのでやめてほしい。

「あーもう、うるさいな大治は。大治は黙ってあたしの話を聞いてたらいいの！」

碧がイライラしたように叫んだ。ちょっといじわるなことを言いすぎたかな、と思い、

「でも碧なら、どんなことでも実現させそうだよな」

と言葉をつけ加える。すると碧は一瞬にして笑顔になって「だよねえ」とまた八重歯を見せて笑った。単純にもほどがある。

でも、ぼくの言葉は決して嘘じゃない。本当にそう思っている。

この町は、村と呼んだほうがいいんじゃないかと思うほど、小さくて田舎だ。小中学校は同級生が十五人しかいなかった。家から通える高校はひとつしかなく、さらに片道一時間以上かかる。

そんな場所で、ぼくと碧は一緒に育った。それこそ生まれた時から。そして、ぼくは今日まで毎日、碧に振りまわされている。

幼稚園のころ、碧は「あたしは冒険家になる！」と言ってぼくの手を引いてふたりだ

けで山の中に入った。もちろん親には何も言わずに出かけたので、けっこうな騒ぎになった。その日の夜中に両親に見つけられてさんざん叱られた。けれど、その時碧は滅多に見つけられない植物を偶然見つけていて、町の新聞に碧の名前が載った。

小学生の時、突然「インフルエンサーになる！」と言い出して踊ったり、川に飛びこんだり、夜の学校に忍びこんだり、インフルエンサーってなんだっけ？ と思うようなことをしはじめた。ぼくの役割は主にカメラマンだ。インフルエンサーにはなれなかったが、碧は学校の問題児になって、町の有名人になった。ついでにぼくも。

中学校でも同じようなことをしていたが、いちばんすごかったのは「生徒会長になって制服を廃止する！」だった。一年生で立候補した碧は、他に立候補者がいなかったことからあっさりと生徒会長に当選した。ぼくは副会長になった。そして、碧はその一年後、宣言通り制服を廃止した。おまけに校則をすべて見直し、不要なものはすべてなくした。碧は学校でヒーローになった。

高校生になる前の春休みは、「芸能界デビューをしてもいいかもしれない」と言ってふたりで電車に乗って都会に行った。都会といっても田舎に近い都会は全国からすればやっぱり田舎で、スカウトなんかひとりもいなかった。でも、偶然にもロケに来ていた芸人に話しかけられ、碧はテレビに映った。

他にも、歌手になるからと言って田んぼで何時間も歌い続けたり、大きな落とし穴をつくったり、いかだをつくって海に行こうとしたり、海外で大道芸をしながら旅をするのだとジャグリングをはじめたり。

思いつきで碧は行動する。何を言っているんだと、そんなの無理に決まってるだろ、と思うようなことでも、碧はとりあえず行動に移す。

そしていつも、なんらかの結果を出す。思い描いていたものではなくとも、それでも碧は何か特別な力があるんだと思わずにはいられない、何かを残す。

ぼくは、碧にさんざん振りまわされてきた。

でも、ぼくはそんな碧を嫌いになれない。むしろそんな自由な碧をだれよりも近くで見ていられるのは、楽しい。わくわくする。

碧なら本当にいつか、宇宙にだって行くかもしれない。

碧が言う無茶の中で、今のところ行動に移していないのは宇宙に行くことだけだ。

「宇宙に、行きたいなあ」

めずらしく、穏やかな口調で碧がつぶやく。

「行けばいいじゃん。碧ならいつか、行けるかも。勉強は必要だと思うけど」

「勉強勉強うるさい」

じろりとにらまれたので、ぼくは口を閉じた。

するとぼくたちの間に静寂が訪れる。ふだんよくしゃべる碧は、たまに口数が減る。

それがどういう時かを、ぼくは知っている。だからぼくは、何も言わない。黙って碧が話し出すのを待つ。

「ねえ、大治」

「ん？」

「あたしのお母さんとお父さん、離婚することにしたんだって」

とうとう、そうなったのか。碧の言葉にぼくは「そっか」とだけ返事をした。

碧の両親は、仲がよくなかった。家ではほとんど会話がなく、しゃべったと思ったらケンカばかりだ、と碧は時々呆れたように言っていた。

雰囲気の悪い家の中にいたくない、と言ってぼくの家に来て一緒に夜を過ごしたこともある。ぼくの家にずっといたい、と本音をこぼしたこともある。

「お母さん、田舎暮らしはやっぱり無理だって。離婚して昔働いていた会社に戻るって言ってる。お父さんは、おばあちゃんとこの町に残るってさ」

あーあ、と碧は体をそらして空を仰ぐ。今はまだ真っ青だけれど、この空の先には、碧が好きな宇宙が広がっているのだろう。碧はたぶん、それを想像しているはずだ。

「ねえ、あたし、どうしたらいいと思う?」

「……え?」

「お父さんとこの町で暮らしたほうがいい？　それとも、お母さんと一緒に出ていったほうがいい？　どう思う?」

そこまで考えていなかった。けれど、碧の両親が離婚する、ということは、碧はどちらかと暮らすことになる、ということだ。

これまで毎日碧と過ごしていたから、碧が町を出ていくなんて考えつかなかった。

――碧が、いなくなる。

想像すると、ぼくのこれからの日々が、とたんに色を失っていく。

呆然としていると、碧がぼくの顔を見る。

「大治がここにいてって言うなら、あたし、ここに残ろうと思う」

まさか碧が、ぼくの意見を求めるなんて。

「ねえ、大治。言って。そばにいてほしいって、言って」

今にも泣きそうなほど顔を歪ませている碧に、言葉を失う。

ぼくにとって碧が特別であるように、碧にとってもぼくは特別なんだと実感する。そのことが、うれしいと思う。このまま一緒にいたら、ぼくの日々は楽しくて幸せだろう。

でも――。

「碧は、この町を出たほうがいいと、思う」

ぼくは、そう答えた。碧は、傷ついたように眉根を寄せる。

碧は、いつも、この町から飛び出したがっていた。冒険をしようとしたり、海に出ようとしたり、都会に出かけたり――宇宙に行くと言ったり。

碧は、どこでも生きていける。なんでも自分の手でつかみ取ることができるパワーをもっている。

何もないこの町で、碧はたくさんのことをしてきた。

だから、碧のいる場所が広がれば広がるほど、碧はもっと大きなことを、もっとたくさんできると思う。

「碧には、この町は狭すぎるよ、きっと」

この町に残った碧は、鳥かごの中の鳥のようになってしまう気がする。それは、ぼくがこの町にひとり取り残されることよりも、ずっとさびしくて苦しく感じた。

碧は、高く、どこまでも、羽ばたき飛んでいくことができるのに。

「ぼくのことは気にせず、好きな場所に飛ぶべきだ。宇宙にだって飛べるよ、碧なら」

碧は、瞳いっぱいに涙をためて、歯を食いしばりながらぼくをにらんだ。

ぼくは、どれだけ離れても、今目の前にいる碧の顔を忘れないだろうな、と思った。


あの日からどれだけの時間がたっただろう。

あれから、碧とは一度も連絡を取らなかった。でも、碧はどこに行っても、碧だった。

ぼくはそれを、知っている。

「本当に宇宙に行くんだなあ。さすが碧」

国際宇宙ステーションに長期滞在が決定したメンバーが記されている今朝の新聞記事に、碧の名前と写真があった。

笑った時に見える八重歯は相変わらずだ。彼女のコメントには、「あなたが言ったように、私はたしかに、宇宙にだって飛べるようです」と書かれていた。

episode - 13

君に恋した九十九の夜

「みんな楽しそうだなぁ」

ミアは部屋の窓から外を眺めてため息をついた。外では自分と同じ年ごろの子どもたちが楽しそうに遊んでいる。

「わたしも思いきり走ってみたいよ」

ママから何度も言われたからそれは無理だとわかっている。ミアは生まれた時から体が弱く、学校に通う年齢になった今もほとんどの時間を自分の部屋で過ごしているのだ。家庭教師の先生が毎日来て勉強を教えてくれるけれど、他の子みたいに学校で友だちと遊んでみたいという気持ちがなくなることはない。

「今月買ってきてもらった本ももうすぐ読み終わっちゃいそう……また新しい本を買っ

てなんて言えないしなぁ」

外で遊ぶことを禁じられたミアの楽しみは、本を読むこと。だからミアの部屋の本棚にはびっしりと本が並んでいる。そしてそのすべてをミアは三回くらいは読んでしまっている。お気に入りの物語であればそろそろ暗記してしまいそうだ。

「あーあ。ねぇ、モカちゃん。新しい物語がた〜くさん読める本があったらいいのにね」

お気に入りのうさぎのぬいぐるみにだけは本音を打ち明けられる。でも、本当はぬいぐるみではなく、友だちと話をしたいのだ。

「風が冷たくなってきたな」

窓を閉めると楽しそうな子どもたちの声が聞こえなくなり、ミアの部屋は再び静かになった。もうすぐ夜がやってくる。今夜はゆっくり眠れるだろうか。眠れない夜は不安が膨らんで泣いてしまいそうになる。せめて物語みたいな楽しい夢を見られたらいいなと思いながら、あと数ページで読み終えそうな本を開いた。

「こんばんは、ミア」

夜になって、なかなか眠れず何度も寝返りをうっていると、ミアを呼ぶ声が聞こえた。ベッドのそばに、見たことのない男の子が立っている。

「あなたはだれ？」

「ミアに物語を聞かせるために来たんだ。君が知らない物語をぼくはたくさん知っているからね」

ずいぶん前に『話し相手がいなくてつまらない』と駄々をこねたことがあるし、ママがだれかに頼んで連れてきてくれたのかもしれない。

「物語を聞かせてくれるの？　あなたが？」

「そうだよ。どんな本にも載っていない物語を毎晩話してあげる。そしたらきっと夜もぐっすり眠れるようになるよ」

「本当に？」

「ためしてみようか。最初は森の精霊たちの冒険の話を聞かせてあげよう」

　男の子の不思議な声に引き寄せられるように、ミアはその物語に夢中になった。そして気がつけば、ぐっすりと眠っていたのだった。


「今日はどんなお話なの？」

　あれから男の子は言葉通り毎晩ミアの部屋にやってきた。ルイと名乗ったその男の子は、いつの間にかミアの部屋にやってきて、朝になるといなくなっている。

『君だけに話す特別な物語だから、このことは他のだれにも話してはいけないよ』

と言っていたので、ミアはルイのことをだれにも話していない。特別な物語をひとりじめできているようで楽しいからだ。

「今日はね、バラの花に変えられてしまった女の子のお話だよ。とっても切ないラブストーリーなんだ」

「恋のお話は大好き！　楽しみだなぁ」

　今ではミアは夜が来るのが楽しみになっていた。ルイが語ってくれる物語はどれも新鮮でとびきりおもしろいものばかりだ。ルイが話し終わるころ、ミアはぐっすりと眠りに落ちており、ルイから聞いた物語をそのまま夢に見ることもある。夢の中でならミアは思いきり走ることができたし、友だちもたくさんいる。

「ルイが来てくれるようになってから、毎日がとても楽しくなったの」

「ぼくもミアが楽しそうに聞いてくれるから、とてもうれしいよ」

恋の物語、冒険の物語、ちょっぴり怖い幽霊の物語、おっちょこちょいな魔女の修行の物語、時のはざまに迷いこんで歳を取らない少女の物語、ウソつきな少女が家族のために戦う物語。ミアはルイの物語に夢中になっていた。

三か月が過ぎるころ、ミアは物語だけでなくルイのことも大好きになっていた。このままずっとルイがいてくれたらいいのにと思う。

「ねぇ、これからもずっとここに来てね。わたし、ルイのお話が本当に大好きなの」

「ありがとう。でも、ぼくの物語は百個しかないんだ」

「どういうこと？」

「今夜で百個め。つまり最後なんだ。この物語を話し終えたらお別れだよ」

「そんなのイヤ！」

ミアは生まれてはじめて物語を聞きたくないと思った。今日で最後なら、その最後のひとつを永遠に聞きたくない、と。

「じゃあもう帰って！　お話なんて聞きたくない」

ルイは困ったように笑っている。

「そんなこと言わないでよ。最後のひとつはとびきりの話なんだ。きっとミアも好きになるから、ちゃんと聞いてほしい」

ミアは必死に耳をふさいだけれど、ルイが語りはじめたら、その声を聞きたいと思ってしまう。ルイの声も、ルイの物語も、大好きだからしかたない。

「むかしむかし、物語が大好きな少年がいました。少年は自分だけの物語をつくろうと毎日毎日必死に考えて、やがて百の物語を書き終えることができたのです。そしてその物語をだれかに読んでもらいたくなりました……」

涙をこらえながらルイの言葉を聞いているうちに、やがてミアはいつものようにぐっすりと眠りに落ちてしまった。

「さようなら、ミア。ぼくの大好きな女の子」

ルイはミアの頭をそっとなでて、そのまま朝の光とともに姿を消してしまった。


「おはよう、ミア」

翌朝、母親の声で目が覚めたミアはハッとして部屋中を見渡したものの、もちろんルイの姿はない。

「あら、こんな古い本、うちにあったかしら？　こんなにボロボロになるまで読むなんて……ミアは本当に本が好きなのね」

ベッドの横にあるテーブルに、見たことのない本が置いてある。母親の言う通り、とても古い本だ。

『君に捧げる百の物語』作者の名前はルイ・バトラーとある。いちばん最後のページにある作者の肖像画を見つけてミアは息をのんだ。

「これ、ルイだ……どういうこと？　こんな古い本にどうして……」

ルイ・バトラーのこの本は百年以上前につくられたものだ。母親に調べてもらうと、彼はこの本が発売されてすぐに、若くしてこの世を去っていた。

「聞かせてくれたのは、この本のお話だったんだね」

本好きの少女のために、彼は百の夜だけこの世界に戻ってきていた。きっと、ルイもだれかに自分の物語を聞いてほしかったのだ。

『ルイの物語が大好き！』

彼は生前もっとも欲しかった言葉を聞けてうれしかったにちがいない。

「ありがとう。ずっとずっと大切にするね」

ミアはそっとその本を抱きしめて、もう一度、大好きだよ、と彼に伝えた。

♥ episode - 14

あの日の約束

「じゃあね、あかり。また明日来るからね」

お母さんが、わたしの頭を優しくなでた。本当は「行かないで」って言いたいけど、お母さんを困らせたくないから素直に手を振る。

二日前に高熱を出して病院に来たわたしは、検査をしてそのまま入院することになった。詳しいことはよくわからないけど、悪い菌が見つかったから、それをやっつけて元気になるためなんだって。

最初の日は熱を出していたからあまり覚えてないけど、昨日はお母さんが帰ってから、布団の中でたくさん泣いた。四年生になったのに、さびしくて泣くなんておかしいかな。だけど、家族と離れてひとりで眠るのは初めてだったから、怖かったんだ。

わたしには弟がいるから、お母さんはずっと病院にいられるわけじゃない。だから早く元気になって退院したいけど、夜になるとなんだか不安になるの。もしこのままずっと病院で暮らすことになったら、家族に会えなくなったらどうしようって。そう考えたらすごく悲しくなって、元気になるどころかどんどん気持ちが暗くなっちゃうんだ。

ひとりになりたくなくて、ベッドから降りて部屋を出た。

だれかいるかな？　そう思ってのぞいたのは、病院のキッズルーム。昼間ここで本を読んだ時は入院している子どもがたくさんいたけど、今は男の子がひとりテーブルに向かって座っている。わたしはその子のななめ前に座って、静かに自分のノートを開いた。

だけど家じゃないからなんだか落ち着かなくて、いつもみたいに書きたい言葉がなかなか浮かばない。

あ〜あ。つまんないな……。

「大丈夫？」

男の子に突然声をかけられて、わたしは鉛筆を持ったまま固まった。心の声が外に出ちゃったのかもって一瞬思ったけど、ずっと口を閉じていたからそんなはずない。

「ぼくは空っていうんだ」

空くんは、パッチリした目をわたしに向けた。

「わたしは……あかり」

「あかりちゃん、いつ入院したの？」

「二日前」

「そっか。ぼくはもう何度も入院してるから、わからないことがあったらなんでも聞いてね。ちなみにキッズルームはあと三十分で閉まっちゃうからね」

空くんは、わたしと同じ小学四年生で、二年前から入退院をくり返しているらしい。

絵を描くのが好きで、入院中にいっぱい絵を描いてきたんだって。

その中の一枚を、空くんが見せてくれた。

色鉛筆で描かれていたのは、星空の絵。少し青が混ざったような夜空に、数えきれないほどたくさんの光の粒が散らばっている。四年生が描いたとは思えないくらい本当に上手で、わたしは何度も「きれい」って言ったんだ。

その日から、空くんは毎日わたしに話しかけてくるようになった。空くんは小児科病棟の人気者で、とにかくいつも笑顔でいつも元気。そんな空くんが、最初は正直うるさいなって思ってたんだけど……。

ある日、いくら待っても空くんがキッズルームに来なかった時、夜になってお母さんが帰っちゃうのと同じくらい、心にぽっかり穴が開いたみたいにさびしいって思った。だから、次の日になって空くんに会えた時は本当にうれしくて、看護師さんに怒られちゃうくらい、ふたりで大きな声でおしゃべりしたの。

毎日一緒におやつを食べたり、絵の描き方を教えてもらったり。お母さんが帰っちゃって不安な時も、空くんは「大丈夫だよ」っていつも励ましてくれた。さびしかったはずの入院生活が、空くんのおかげでとっても楽しくなったんだ。

「空くんにだけ、わたしの夢を教えてあげるよ」

入院からちょうど一週間がたった日の朝、わたしの部屋に来てくれた空くんに、こっそり伝えた。

「夢？」

「うん。わたしね、小説家になりたいの」

少しはずかしかったけど、空くんならきっとからかったりしないって思ったから、わたしは自分のノートを見せた。そこには、短い物語が書かれている。もちろん、全部わたしが考えて書いたお話。

空くんが真剣な顔で読んでくれている間、ベッドの上に座っているわたしは、ドキドキしながら待った。自分が書いた物語をだれかに読んでもらうのは初めてだから、すごく緊張する。

五分くらいたってノートを閉じた空くんは、わたしの目を見てにっこり笑った。

「あかりちゃん、この話すごくおもしろいよ！　ぼく、なんだか絵が描きたくなってきちゃったから戻るね！」

「えっ？」

「いいって言うまで、ぼくのところに来ちゃダメだからね」

立ち上がった空くんは、なんだか目をキラキラさせながら急いで自分の部屋に戻っていった。

次に空くんと会えたのは、その日の夜。お母さんが帰って、ご飯を食べ終えて、テレビを見ていた時だった。

「入っていい？」

白いカーテンの向こうから、空くんの声がした。わたしはあわてて起き上がる。ほんの少しだけだったのに、久しぶりに会うような気がするのはどうしてだろう。

「これ見て」

空くんは、手に持っていた画用紙をわたしに見せた。

「あかりちゃんの物語を読んだら、この絵が描きたくなって」

夏休みに、田舎のおばあちゃんの家で過ごすことになった主人公の女の子が、そこで出会った男の子とひと夏の冒険をする物語。空くんは、その最後の場面を描いてくれた。

青空の下、きれいな海を前に手をつなぐ、女の子と男の子の後ろ姿。物語を書きながら想像していた通りのその絵に、わたしはなぜだか泣きそうになった。

「あれ、ごめん。気に入らなかった？」

不安そうに顔をのぞきこんできた空くんに、わたしは首を横に振る。

「すっごくきれいで、すっごく感動した」

鼻がツンと痛くなって涙が浮かんできたけど、泣かないようにがんばってキュッと唇を結ぶ。

「よかった～。……あのね、ぼくの夢は画家になることなんだ。いつかあかりちゃんが書いた小説の表紙を、ぼくが描けたらいいな」

「描いてよ。わたしぜったいに小説家になるから、そしたら空くんが表紙を描いて」

「……そうだね、そうなれるように、がんばる」

「わたしもがんばるから、約束だよ」

「うん、約束」

退院してからも、空くんにまた会えるかな。ずっと、友だちでいたいな……。

そのヨの夜中。眠っていたわたしは、廊下から騒がしい声が聞こえて目が覚めてしまった。そっと顔を出して廊下をのぞいたら、お医者さんやたくさんの看護師さんが空くんの部屋を出たり入ったりしていた。

怖くなったわたしは、自分のベッドに戻って布団を頭からかぶった。心臓が、ドクドクって嫌な音を鳴らす。

何があったのかわからないけど、大丈夫だよね。明日になったら、また笑って「おはよう」って言ってくれる。大丈夫。きっと大丈夫……——。

——空くんに会ったのは、ふたりで約束をしたあの日が最後だった。

『大丈夫だよ』

きみはいつもそう言って、わたしを励ましてくれたね。

きみがいたから、さびしくなかった。

きみがいたから、笑っていられた。

きみがいたから、がんばれた。

「ねぇ、見えてる？　あれから十五年もかかっちゃったけど……」

手に持っている小説は、発売されたばかりのわたしのデビュー作だ。

「約束、守ったよ。空くん……」

海辺に立ったわたしは、空くんがあの時描いてくれた表紙を青空にかかげて、優しく微笑んだ。

♥episode - 15

君は（たぶん）運命の人

僕は前世の記憶をもっている。

お金持ちのお屋敷で働く庭師だった僕は、ご主人の娘であるお嬢さまに恋をした。

お嬢さまはいつも笑顔で、身分の低い僕にも優しく話しかけてくれる、すてきな人。

初めて話した瞬間、僕は彼女を「運命の人」だと感じたのだ。

それから僕は毎日、庭のバラを一本、彼女の部屋の窓辺に届けた。

一本のバラの花言葉は「ひとめぼれ」「あなたしかいない」。

ああ、なんてすてきな花言葉なんだろう……。

僕は毎日欠かさず、一本のバラをお嬢さまへ届けた。晴れた日はもちろん、雨の日も、風の日も、雪の日も。

やがてお嬢さまに僕の想いが届き、両想いになれたのだが……。

身分ちがいだったふたりの関係が認められることはなく、僕はお屋敷から追い出されてしまった。

それでもお嬢さまをあきらめきれなかった僕は、なんとか彼女に一本のバラを届けようとした。

しかしそれは許されず……僕は遠くの村へ追放され、彼女は親が決めた見知らぬ男と結婚させられてしまったのだ。そして僕たちは、二度と会うことができなかった。

つらくて悲しい、別れの記憶をもち続ける僕。

しかしある日、僕は「運命の人」と再会したのだ。


それは高校の入学式の日。

桜の木の下で友だちとおしゃべりをしている、笑顔のすてきな女子生徒。

僕は一目でピンッときた。

「あの子はお嬢さまの生まれ変わりだ！」

どうしてわかったかって？　ふっふっふっ、それはもちろん、彼女が僕の運命の人だからさ！　それに、今は同じ高校の同級生。身分の差なんてものもないし、今度こそ僕たちは結ばれるだろう。

僕はとっさに花壇のチューリップを一本手に持ち、彼女の前でひざまずく。

「ずっと会いたかった！　君は僕の運命の人だ！」

彼女が僕の顔を見た。僕たちの視線がピタッと合う。

ああ、君もきっと僕のことを……。

けれど次の瞬間、彼女は恐ろしい目つきで僕をにらんで、こう言った。

「は？　何言ってんの？　あんたバッカじゃないの？」

な、なんというひどい言葉使い！

衝撃を受けた僕は、その場に崩れ落ちる。

見た目や雰囲気はお嬢さまにそっくりだが、もしや中身は怖い人なのだろうか？

でも現代の女子高生なら、このくらいの言葉は使うかもしれない。

そんなことを考えていた僕に、彼女はさらに大きな声で怒鳴った。

「それに、チューリップを折るなんてサイテー！　あたしに近寄らないで！」

「あっ、ごめんなさい！」

僕はあわてて謝る。

彼女はプンプン怒りながらチューリップをひったくると、友だちと一緒にどこかへ行ってしまった。

その背中を見送りながら、僕は思う。

たしかに花をへし折ったのはよくなかったな、うん。

でも……花を大事にするところ、やっぱりあのお嬢さまと同じだ！

翌日、僕は母さんに内緒で、お店のバラを一本頂戴して学校へ向かった。

僕の家は、昔からある古い花屋なのだ。

学校に着くと、その花を彼女の机にそっと置いた。

一本のバラの花。花言葉は「あなたしかいない」。

彼女が僕の運命の人なら、この想いが伝わるはずだ。

しばらくして登校してきた彼女がその花を見ると、怒った顔で近づいてきた。

「この花置いたの、あんたでしょ！」

「は、はい！」

「何考えてんの⁉　机の上に、直で花を置くなんて！」

「ご、ごめんなさい！」

くるっと背中を向けると、彼女は教室にあった空き瓶に手早く水を入れてきた。そこに花を飾り、教室の棚にそっと置く。

「花がかわいそうじゃん！　あんたってほんとバカ！」

彼女はお怒りだったが、やっぱり花を大事にする人なんだとわかって、うれしかった。

翌日から、僕はめげずに花をプレゼントした。晴れた日も、雨の日も、風の日も。しおれないよう念入りに包んでそっと机に置くのだが、彼女の反応は変わらない。

「いいかげんにしろ！　ウザい！」

それでも今日も、水を入れた瓶に花を飾ってくれる。即席の花瓶に花が増え、教室が明るくなってきた。しかも、毎日きちんと水を替えてくれている。

やっぱり彼女は優しい人だ。言葉使いとのギャップが、かえって萌える。

「まちがいない！　君は、僕の運命の人だ！」

「だからその運命の人って言うの、やめろ！　キモい！」

相変わらず彼女はめちゃくちゃ口が悪い。それにどうやら、前世の僕のことは覚えていないようだ。

だけど彼女と出会えただけで、僕は毎日がとても幸せだった。

そんな彼女に近寄る男が現れた。クラスでいちばんのイケメン男子だ。

彼と話す時の彼女はにこにこしていて、僕と話す時とは大ちがい。

なんてこった。彼女は僕のものなのに！

でも、ふたりはとてもお似合いだ。もしかすると、彼女は彼とつき合うほうが幸せになれるのかもしれない……。


さらに別れは突然やってきた。

両親が花屋を閉店して、祖父母の住む田舎に引っ越すと言い出したのだ。

「そんな急に、ひどいよ！」

反抗したものの、最近店の売り上げが落ちこんでいて、生活が苦しいこともわかっていた。

僕は入学したばかりの学校をやめて、田舎に引っ越すことになってしまった。

せっかく運命の人と会えたのに……僕たちはまた、離れ離れになってしまうのか。

次の日、僕は初めて彼女に花を渡さなかった。

もうこんなことを続けても意味がない。前世と同じように、僕たちは引き裂かれる運命だったのだ。

僕はみんなにあいさつもせず、そのまま学校を去った。


引っ越しが近づいた日、僕がひとりで店番をしていると、なんと彼女がやってきた。

「えっ！　どうしてここに？」

「花を買いにきたんだけど、悪い？」

「い、いえっ。……あっ、いらっしゃいませ！」

彼女はちょっと顔をしかめて言った。

「引っ越すって聞いたんだけど」

「……はい」

「あんたってほんとウザいけど、いなくなると調子狂うんだよね」

彼女がバラの花を見つめている。

「それによくわかんないけど、なんかあんたとは離れたくないっていうか……」

なぜかもじもじしたあと、意を決したように彼女は言った。

「このバラ、十二本ください！」

「じゅ、十二本⁉」

「いいから早く！　十二本だからね、十二本！」

「は、はい！」

僕は言われた通り、真っ赤なバラを十二本ケースから取り出した。

それを花束にしながら考える。

この花束、どうするつもりなんだろう。もしかしてあのイケメンにあげるつもりだったりして……。

僕の胸が、ちくりと痛む。

そういえばバラの花言葉、十二本ってなんだっけ？

支払いをして花束を受け取ると、彼女はそれにメモをつけて、僕の前にずいっと差し出した。

「これ、あんたにあげる！」

「へ？　えっ、ちょっと！」

無理やり花束を押しつけ、彼女は走って店を出ていった。

いったい何が起きたんだ？

首をかしげながらメモを取り出すと、そこには彼女の連絡先が書いてあった。

「連絡しても……いいってこと？」

十二本のバラを抱えながら僕は思った。

もしかして運命は、まだ変えられるのかも？

ポケットからスマホを取り出して、バラの花言葉を調べた。

バラの花、十二本は——。

「わたしとつき合ってください」

episode - 16

長引いた初恋

小学生のころ、隣の家にオーストラリアから引っ越してきた一家がいた。お母さんは日本人で、お父さんはイギリス人。ひとり息子のレオはわたしと同い年で、色素のうすい髪とブルーグレーの瞳がとてもきれいな男の子だった。

「一香ちゃん、レオと仲良くしてあげてね」

レオのお母さんにそう頼まれたわたしは、毎日のようにレオと話をした。つたなかったレオの日本語もすぐに上達したので、会話に困ることはなかった。

「レオ、『しいたけが嫌い』って英語でなんていうの?」

「一香はしいたけが嫌いなの?」

「……だって変な味がするんだもん」

「英語で言ったところで、一香のママはしいたけをよけてくれないと思うけどな」

「そうだけど。勉強のためだよ～。ね？　教えて！」

「じゃあかわりに、今度日本のおいしいお菓子を教えてよ」

「もちろん。今度ママたちとスーパーに行こう！　おすすめをたくさん教えてあげる」

言葉や文化のちがいはあったけれど、レオとは仲良くなったし、レオのおかげで英語が好きになって『英語を使った仕事をしたい』という漠然とした夢をもつこともできた。

「レオは日本とオーストラリア、どっちが好き？」

「どっちも好きだよ。全然ちがう魅力があるからね。でもいつか父さんの生まれたイギリスにも行ってみたいな」

「イギリスかぁ。わたしも行ってみたい！」

イギリスの街並みが写っている写真や雑誌をふたりで眺めて、ここに行きたいだのあれが食べたいだの話したこともいい想い出だ。

しかし、レオが中学生になるころ、レオは家族と一緒にオーストラリアへ帰ることになった。

「会えなくなっちゃうけど、ぜったいメールするからね」

「ぼくも。オーストラリアの街の写真をたくさん送るよ」

わたしたちはたがいに連絡を取り合うことを約束して別れた。母いわく、わたしはその後一週間ずっと不機嫌で、少し目を離すと部屋でめそめそと泣いていたらしい。

「一香はレオが大好きだったのね」

当時は素直に認められなかったけれど、英語を教えてくれたとても優しいあの男の子は、わたしの初恋だった。

そして十年以上の月日が流れ、わたしは社会人になった。自分の名前が縁を呼び寄せたのか、香水を販売する会社で海外の市場調査と買いつけを担当している。

「『ひとつの香り』なんて、一香はこの仕事にぴったりな名前だよね」

職場の同僚からもそう言われるし、取引先の人と名刺を交換する時も似たようなことを言われる。幼いころから好きだった英語をいかせていることもあって、仕事は楽しい。

「一香。次のイギリス出張はあなたに行ってきてほしいんだけど、頼める？」

「もちろんです。イギリスだと、最近は王室御用達の香りが話題ですよね」

「ええ。その流行りに乗って、新商品が一気に発表されるわ」

「任せてください！　新商品の情報だけじゃなく、掘り出し物も探してきますよ」

イギリスと聞いて古い友人の顔を思い出した。わたしに英語を教えてくれたレオ。いつかイギリスに行きたいと言っていたっけ。学生時代はひんぱんにメールを交わしていたけれど、いつからか、やりとりは途絶えてしまった。

「たしか、レオのアドレスは……あった」

スマートフォンにはまだ彼の連絡先が残っていた。久しぶりにメールを送ろうかと思ったけれど、なんて書き出せばいいのかわからず結局やめた。もう何年もメールしていないから、彼のアドレスも変わっているかもしれない。

「遊びにいくわけじゃないしね」

自分に言い聞かせるようにスマートフォンをしまい、仕事に意識を戻した。

出張は予想以上にうまくいって、明日は予定通り無事に帰国できそうだ。仕事ばかりで観光もできていないけれど、魅力的な商品をいくつか見つけられたし、話題の新商品も日本で人気が出そうなものをサンプルとして入手できた。体はへとへとだけれど、満足している。さて、部屋に戻って歩き疲れた脚をマッサージしようと思っていたら、ホテルのフロントで呼び止められた。

「水野一香様、お荷物が届いています」

初日に訪れた『自分だけの香水がつくれる』というコンセプトのお店からだった。ここはどうしても行きたかったお店なのだが、調合に時間がかかるためその場では商品をもらえなかったのだ。こうしてホテルまで送ってもらい、帰国に間に合ってよかった。

これが今回の出張でゆいいつの自分へのおみやげだ。

「一香……？」

自分の名前が呼ばれた気がした。知り合いもいない外国のホテルで、下の名前だけが呼ばれるはずもないのに。きっと聞きまちがいだろう。

でも、もう一度聞こえた。一香、と。

声のしたほうを振り返ると、背の高い男の人がおどろいた表情で立っていた。あのブルーグレーの瞳と、色素のうすい髪。そして、右目の泣きぼくろには見覚えがある。

「え……もしかして、レオ？　本当に？」

「『水野一香』って聞こえたと思ったら、やっぱり一香だ！　おどろいたよ！」

十数年ぶりの再会だった。レオはすっかり大人になって、ストライプのジャケットがよく似合っている。

「一香はここに泊まってるの？」

「出張で来てて……でも、明日日本に帰るの」

「じゃあ、久しぶりに話そうよ。そこのラウンジでお茶でも飲もう」

レオはこのあとまだ仕事があるらしく『お酒を飲むわけにはいかないからね』と笑って、ホテルのティーラウンジで紅茶をごちそうしてくれた。

「イギリス出張が決まった時、レオにメールしようと思ったんだけど……」

「してくれたらよかったのに」

「何年もメールしてなかったから、なんて書き出せばいいかわからなくなっちゃって」

「ひとりでイギリスに来て仕事をするくらい英語ができるのに？」

「英語でも日本語でも、なんて書けばいいのかわからなかったよ」

「真面目なところは変わってないね」

レオのその笑顔こそ、わたしに一生懸命英語を教えてくれたあのころのままだ。

「レオも変わってないね」

「一香は？　今でもしいたけが嫌いなの？」

「ちょっと！　そんなこと忘れてよ！」

ひとしきり昔話をしていると、紅茶はすぐになくなってしまった。レオもイギリスには仕事で来たようで、今もオーストラリアで暮らしているらしい。

「もっと一香と話したいけど、これから大事な用事があるんだ」

「ううん。久しぶりに話せて楽しかったよ」

「そうだ。一香の意見も聞いておこう。これ、どう思う？」

そう言ってレオが胸ポケットから取り出したのは、小さな四角い箱だった。大人の女性なら、見ただけで箱の中身がわかるだろう。もちろん、わたしも……。レオが箱を開けると、想像通りそこにはキラキラとかがやくダイヤの指輪があった。指輪を持った男性の大事な用事なんて、ひとつしかない。

「……すっごくすてき。きっと相手も喜ぶと思う」

「そっか！　よかった。一香がそう言ってくれるなら安心だな」

レオはそう言ったあと、笑顔でわたしをハグしてホテルを出ていった。また連絡すると言ってくれたけれど、わざわざプロポーズの結果を報告してくれるのだろうか。

「……あれ？　なんで……」

気がつくと頬に涙が伝っていた。久しぶりに幼なじみに再会して少しだけど話をして、すごく楽しかったのに、どうしてわたしは泣いているのだろう。

『一香はレオが大好きだったのね』

母の言葉がふとよみがえる。

「……わたしってば、初恋を長引かせすぎでしょ……」

ここがイギリスでよかった。日本語でぶつぶつ言っていても、気に留める人はいない。わたしの長引いた初恋は、十年以上の時がたった今、ようやく終わったようだ。


『新着メールがあります』

数日後、帰国して忙しい日々を送っていると、ふだんはおとなしいスマートフォンがピコンと鳴った。

「メール？　めずらしいな。だれだろう？」

差出人はレオだった。その名前を見た瞬間ズキンと胸が痛んだが、来てしまったのだから読むしかない。そこには日本語で、こう記されていた。

『来週日本に行くよ。今度こそ一香とゆっくり話したいんだけど、会えるかな？』

レオが日本に来る。仕事で？　婚約者がいるのに他の女性に会いたいとメールするのはよくないと思うけど……それともプロポーズは失敗してしまったのだろうか。それで失恋からなかなか立ち直れないから、幼なじみに慰めてほしいとか？　浮かんだ気持ちをそのまま送ると、こんな返信が届いた。

『仕事じゃないよ。それに、プロポーズはまだ先のつもりだったなぁ』

『え？　どういうこと？　プロポーズしてないの？　あんなにすてきな指輪も用意してたのに？』

かみ合わない会話をメールで交わすうちに、レオの仕事がアクセサリーの制作販売で、あの時のダイヤの指輪は新しいお客さんに売りこむための新作だったということがわかった。

『一香の薬指のサイズも知りたいし、来週会う時間をつくってくれるとうれしいな。イギリスで会った時、左手の薬指が空いているのは確認したけど、さすがにサイズまではわからなかったからね』

『女の子を喜ばせるのが上手ね』

あえて英語で返信すると、

『相変わらず英語が上手だね。でもぼくが心から指輪のサイズを知りたいと思うのは、好きな女性だけだよ』

と日本語で返ってくる。『わたしもレオのことが……』と返事を打ちかけたけれど、全部削除する。この先の言葉は、会って直接伝えたい。

『来週、空港まで迎えに行くよ。指輪のサイズはその時に伝えるね』

♥ episode - 17

世界でいちばん美しい明日

しとしとと、優しい雨が降り注いでいる。

けれどおそらく、明日には止むだろう。雨上がりは、空も緑も太陽の光が反射して、いつもよりも美しくなる。広い庭に面した縁側を歩きながらそんなことを思った。

目的の部屋の前で膝をつき、手にしていたおぼんを置いてから声をかける。

「雫さま、起床の時間でございます。起きていらっしゃいますか」

もちろん、返事はない。私がこうして雫さまの朝の準備を任されてからかれこれ十年、雫さまから返答があったことは一度もない。

「失礼いたします」

そう言ってふすまを開けて、膝をついたまま中に入りふすまを閉める。布団の敷かれている小上がりに近づくと、布団の中で雫さまがもぞもぞと動いたのがわかった。

「雫さま」

「……起きてる」

布団からひょこっと顔を出した雫さまが私をにらんできた。

長いまつ毛の奥の瞳は、寝起きでも人を惹きつけるほどのかがやきがある。サラサラの黒髪は少し乱れているが、それでもつややかだった。雫さまは寝起きでも美しい。

雫さまが生まれた日のことを、私ははっきりと覚えている。その時、私はまだ二歳だったにもかかわらず、おどろくほど鮮明に記憶に刻まれているのだ。そして、十八歳の青年に成長された今も、雫さまは美しい。二十歳になった私よりもはるかに。

十八年間、私と雫さまは、ともに育った。雫さまは歴史ある名家の次男であり、私は雫さまの乳母の娘。身分の差はあったけれど、それでも、私たちは姉弟のようにいつも一緒にいた。

ただの乳母の娘である私に、雫さまはいつも優しくしてくれた。いじわるをされたことも数えきれないが、それ以上に笑い合ったことのほうが多い。どこかに出かけた時は必ず私だけのおみやげを買ってきてくれた。帯留め、かんざし、紅、手鏡。雫さまからいただいた宝物が、私の部屋にはたくさんある。

「さあ、朝食の時間に遅れますよ」

布団のそばに腰を落として呼びかけると、「わかったよ」と雫さまはのそりと体を起こした。そしてあぐらを組み、膝の上に肘をついて私を見つめてくる。

「薫、今日の予定は？」

「今日は、ご家族でお食事をする以外は特にございません」

「おとなしくしとけってことか」

はーあ、と声に出してため息をつく雫さまに持ってきたおぼんの上の湯呑みを差し出すと、雫さまは何も言わずにそれを受け取り口をつけた。目覚めの一杯は鉄瓶でわかした白湯を飲むのが雫さまの日課だ。

「明日の祝言の準備に、みんな忙しいですからね」

「俺がじゃまみたいな言い方をするな」

「明日の主役が何をおっしゃるんですか」

にっこり笑って答えると、雫さまは「そうか」とそっぽを向いた。

明日、雫さまは祝言を挙げる。相手はよい家柄のお嬢様で、それはそれはたいそうかわいらしい人だった。雫さまよりもひとつ歳下で、雫さまは婿養子に入ることになっている。

「今日はゆっくりと、お過ごしください」

ぺこりと頭を下げて伝えた。雫さまの返事はなかった。


朝食の時間が終わると、とたんに忙しくなった。

広い屋敷の中を、休むヒマもないほど歩きまわる。蔵で探し物をしたり、旦那様や奥様の衣装や小物の最終確認を手伝ったり、掃除の仕上げをしたり。

一段落ついたのは、昼も過ぎた四時だった。

「お帰り、薫。どこ行ってたんだ」

裏口をくぐると、楽な着物で縁側に腰かけている雫さまが声をかけてきた。朝とはちがった憂いを帯びた表情に、返事をするのが遅れてしまう。ぽかんとしていると、雫さまが「薫？」と私の名前を呼んだ。

「え、ああ、申し訳ありません。ちょっとお使いに出ておりました」

「薫も今日は忙しそうだな。ずっと見かけなかったし。まだやることあるのか？」

「いえ、今日はもう大丈夫だと思います」

朝食を食べてからずっと動きまわっていたので、昼食もろくに食べていない状態だった。たださすがに夕方にもなると準備はほぼ終わっている。むしろ明日は早朝からバタバタするので体力を温存しておかねばならない。

「じゃあ、俺と少し休憩しろ。敬語もなしだ」

「いえ、それは……」

私が首を振ると、雫さまは「最後くらい、昔みたいに話す時間があってもいいだろ」

と言って立ち上がった。とまどっている私の目の前に立つ雫さまは、昔よりもはるかに背が高くなっていた。そんなこと前から知っているはずなのに、なぜかしみじみと、雫さまは大人になられたんだ、と思う。

「今日くらいだれも何も言わないよ。言われたら俺がちゃんと説明してやるから」

雫さま――いや、雫の手が、私の手に重なる。

「……わかった」

こくりとうなずくと、雫は目を細めて微笑んだ。幼いころ、いつも私に見せていた無邪気な笑みだ。

いつからか、そんな表情は見せなくなった。たぶん、私が雫の女中になって、敬語で話すようになったころからだ。

この屋敷の庭には四季折々の草花がたくさんあり、中央には鯉の泳ぐ池もある。ふと雫が足を止めてつぶやいた。

「昔、ここにある花を勝手につんで、怒られたよな」

なんのことかと彼の視線の先を見ると、白に近い桃色の花が並んでいた。庭師に何度か名前を教えてもらったが思い出せない。

「つんだというより、むしったって感じでした――感じだったよね」

つい癖で敬語を使いそうになり雫ににらまれたので、あわてて言い直す。

親指ほどの大きさの花は、遠くから見ると雪が積もっているように思えた。幼い私と雫は興奮してその花を引きちぎり、部屋に持ちこんだのだ。家の中に雪が積もったみたいだとはしゃぎまくった結果、母と庭師にこってりと怒られた。

ぐるりと庭を見渡すと、そこには私と雫のたくさんの思い出が詰まっている。

かくれんぼをしたこと。怒られてこっそり泣いている雫を慰めたこと。失敗して落ちこむ私の頭を雫がなでてくれたこと。夢を語り合ったこと。旦那様にほめられて満面の笑みを見せてくれたこと。そして――。

「ここで、結婚の約束もしたよな」

雫の言葉に体が小さく震えた。心臓の鼓動が速まるのを感じつつ、冷静を装う。

「子どもの、遊びですね。みんなすることです」

そばにあった赤い花で指輪をつくってくれた。それを私の左手の指にはめながら、雫は「大きくなったら俺は薫と結婚する」と言って、手に口づけをしてくれた。当時まだ八歳の雫の誓いに私は笑った。その時私は、すでに私たちの身分の差を理解していたので、決して本気にはしなかった。

「……俺は本気だったけどな」

「雫さま」

「敬語やめろって言っただろ。さまづけもするな」

無意識に口調が戻っていた。「申し訳ありません」と頭を下げる。

「もう、癖になっていますので、無理なようです」

それが、私と雫さまの関係なのだ。十年間、私たちはその関係の中で過ごしてきた。

たとえ、心の内にいつからか芽生えた雫さまへの想いを秘めていたとしても。

どうしてこんな気持ちが生まれたのか、自分でもわからない。

「薫」

私を呼ぶ、雫さまの甘い声のせいだろうか。それとも、私にだけ見せる、警戒心をといたかわいい言動のせいか。もしくは、好意を滲ませた美しすぎる笑顔のせいか。

唇に歯を立てて、あふれそうになる涙をこらえる。

拳をつくって耐えていると、雫さまの大きな手が、私の手を優しく包んだ。昔は私よりも小さなかわいらしい手だったのに、今は男性の、たくましい手になっている。

「俺は……薫と離れたくない。この家に生まれたからには、って何度も自分に言い聞かせたけど、でも、明日から薫がそばにいないなんて、考えられない」

こんな姿をだれかに見られたら大変なことになる。わかっているのに雫さまの手を振り解くことはできなかった。このぬくもりを手放したくないと、私も思っているから。

「もし、もしも薫も同じなら、このまま、今晩ふたりで――」

雫さまの気持ちが、言葉が、うれしくないと言えば嘘になる。今すぐ何もかもを捨てて彼の胸に飛びこみたくなる。けれど、それは美しくない、と思う。

「明日は、きっと私にとって一生忘れられない日になると思います」

「薫？」

「雫さまが立派に成長された美しい姿を、見られる日になりますから」

涙をこらえて笑顔で答えた。雫さまの顔をまっすぐに見つめたまま、はっきりと。

私の返事に雫さまは顔を歪ませて、ゆっくりと私から手を離した。


次の日、私の思った通り、雨は止んで真っ青な空が頭上に広がっていた。そして、黒紋付の礼服に身を包んだ雫さまは、それはそれは美しかった。

雫さまとの思い出をよみがえらせて、さびしさに胸が苦しくなる日もあるだろう。けれど、それでも、雫さまのこれからが幸せでありますようにと願う。いや、きっと、幸せになるはずだ。私とでは得られない幸せが待っているはずだ。

奥様になるかたに笑顔を見せる雫さまを見て、今日は世界でいちばん美しい日だ、と思った。涙で滲んだ視界は、キラキラとかがやいていた。

♥episode - 18

片想い卒業式

高校生活最後の日。卒業式を終えて校庭に出た俺、中條翔太は、どこを探しても雲ひとつない見事な青空を見上げて、目を閉じた。

成績は常に平均で運動もそこそこ、見た目も地味で、当然彼女もいない。そんな俺の心は今、猛烈に燃え上がっている。なぜなら地味で普通な俺は今日、高校生最後にして最大のミッションを実行しようとしているからだ。

校庭では、卒業式を終えた同級生たちが写真を撮り合ったり話をしたり、思い思いの時間を過ごしている。その中で、ひときわ目を引く女子生徒がいた。

陽の光を受けた長い黒髪が風になびくだけで、俺の胸はいともかんたんに高鳴る。

大きな目と長いまつ毛、笑うとできる頰のえくぼが魅力的な彼女は、佐々木江奈。

かわいいだけでなく、勉強もできて性格も明るく、何より優しい彼女は、まちがいなく俺と正反対の場所にいる女子だ。

だが無謀にも、俺はその佐々木に、恋をしてしまった。何度か目が合っただけで、魔法にかかったみたいに俺はすんなり恋に落ちた。

二年で同じクラスになってからずっと、まともに話したこともない佐々木に、俺は片想いをしている。告白なんてもちろんしていないし、俺はただ、元気に笑っている佐々木を見ているだけで幸せだった。

だが、この切ない恋も今日で終わるだろう。同じ高校に通うクラスメイトという、俺と佐々木をつなぐゆいいつのものが、今日でなくなってしまうからだ。

だから決めたんだ。これから俺は、佐々木に自分の制服のボタンを渡す！

うちの学校の女子の間では、卒業式に好きな人からブレザーの右袖のボタンをもらうという伝統がある。詳しくは知らないが、幸せになれるだとかなんとか、そういう噂が昔からあるらしい。

実際に、学年一のイケメンモテ男子は、卒業式が終わった瞬間から女子に囲まれていた。最終的には右袖のボタンどころか、ブレザーの全ボタンや校章、ワイシャツのボタンやネクタイまで、根こそぎ取られているのには笑った。

でも、ボタンのない制服を着ていてもイケメンはイケメンだ。今は校庭でかわるがわる女子たちと写真を撮っているが、モテすぎるというのは、それはそれで大変なのかもしれない。

そんなことを思いながら、俺は遠くから佐々木を見つめた。

友だちと写真を撮っている佐々木は時々さびしそうに目元をぬぐっているが、頑張って笑顔を見せている。

かわいい……。とか思っている場合じゃないだろ。渡せる瞬間を逃すことなく、きちんと見極めなければ。ただ、佐々木は男女問わず人気があるから、ひとりになる瞬間があるかどうか。そこが最大の難関だな。

考えながら佐々木を目で追っていると、陽キャ男子がふたり、佐々木に近づいてきた。

俺は、おのずと眉間にしわが寄る。

内容までは聞き取れないが、男子はゆるみきった表情を佐々木に向けながら話をしていた。そりゃあ、佐々木を前にしたらそんな顔になるよな。気持ちはわかるぞ。

しばらくすると、男子ふたりは佐々木と写真を撮ってから名残惜しそうにその場を離れた。もしかしたら、佐々木から「ボタンください」と言われることを、わずかでも期待していたのかもしれないな。だが、叶わないと悟ったのだろう。かといって、自分から「あげる」なんて言うバカなやつはいない。俺以外にはな。

佐々木のところには、写真を求める同級生が次々にやってくる。佐々木がいつだれかに「ボタンください」とお願いしてもおかしくない状況だからか、俺は正直気が気じゃなかった。

俺が知らないだけで、もしかしたら彼氏がいるのかもしれない。そんな噂は聞いたことがないが、佐々木に彼氏がいないほうが不自然だもんな。そうなると、佐々木が受け取るのは彼氏のボタンだけだ。ブレザーもワイシャツも、全部きれいに残っている俺のボタンなんて、欲しいはずがない。いらないと言われるに決まっている。勝手に落ちこんだ俺は、校庭の芝生に視線を落とした。

でも、たとえそうだとしても、このまま何もせずに終わるのだけは嫌だ……！

そう気合を入れ直して顔を上げると、さっきまでいたはずの佐々木の姿がない。あせって周囲を見渡すが、見当たらない。佐々木に彼氏がいるかどうかなんてどうでもいいのに、今さらそんなことを考えている間に、帰ってしまったのか？

すでに半分以上の生徒が帰ったようだが、俺も学校を出て探すか、それとも……。

あたりを見まわしていた俺の視線が、校舎の二階で止まった。佐々木は、校舎二階にある教室にいた。窓際に立って、校庭を見下ろしている。

なんであんなところに？　そう思った時、佐々木が俺のほうに視線を向けてきたので、俺はとっさに目をそらす。

いつもそうだった。自然と佐々木を見つめることが多い俺は、佐々木がこっちを向きそうになると顔を背ける。じゃないと、いつも見ている変なやつだと思われてしまうし、嫌われてしまうかもしれないからだ。

ゆっくりと顔を上げると、窓際に佐々木の姿がなくなっている。急いで校舎に入り、階段を駆け上がった。

高校生活最後の日、悔いが残らないように勇気を出すんだ。たとえ断られたとしても、いや、断られるとわかっていても、それでいいじゃないか。これが俺の、片想い卒業式なんだから！

さっきまで俺たちのクラスだった三年二組。後ろのドアから中をそっとのぞくと、黒板にはみんなで書いた【卒業おめでとう】の文字や絵が描かれていて、ついさっきまで騒いでいた教室が嘘みたいに静まり返っている。

佐々木は、真ん中のいちばん前にある自分の席に座っていた。

大きく深呼吸をした俺は、教室の中に足を踏み入れた……と同時に、そばにあった椅子に足をぶつけてしまった。

「いてっ！」

おどろいた佐々木がパッと振り返り、まばたきをくり返しながら俺を見ている。

くそっ、最後まで本当にかっこ悪いな、俺は。でも、これでもうあれこれ考える必要はなくなった。言うなら今だ。

「あ、あのさ、佐々木。その……」

だが、決意とは裏腹に、緊張で思うように言葉が出ない。

「実は、ボ――」

「翔太くん」

俺の言葉をさえぎって、佐々木が口を開いた。初めて佐々木に名前を呼ばれた気がする。しかも下の名前だ。

とまどう俺に、佐々木が近づいてくる。至近距離で見る佐々木は、やっぱりかわいい。

「あのさ、ボタン……」

佐々木が俺の制服の右袖を指さしながら言うと、心臓の鼓動がドクンと大きく波を打った。聞きまちがいじゃない。今、ボタンって言ったんだ。まさか、奇跡が……？

俺が期待に胸を膨らませた瞬間、

「ボタン、取れそうだよ」

そう言って、佐々木が微笑む。

膨らんでいた期待が、シュンとしぼんだ。そりゃそうだ、奇跡などそうそう起きるわけがない。

「私がつけ直してあげようか？」

「……えっ？」

思わぬ申し出に、俺はぽかんと口を開いた。

「私がつけてあげるよ。ぜったいに取れないように」

「……ん？」

佐々木が何を言っているのか、さっぱり理解できない。

「私にくれるっていうなら別だけど」

「え!?　えっと……それは……」

「でもそんなの無理だろうなって思ったから、だれにもあげられないように縫うの。だって翔太くん、私と目が合うと必ずそらすでしょ？　だから嫌われてるのかなって思って……」

ひぇえ！　佐々木が、あの佐々木江奈が、お、俺の袖を……！

佐々木はほんのり赤らんだ顔を下に向け、そっと俺の右袖のボタンに触れた。

「ち、ちがう！　それは、なんていうか、俺が見すぎてるっていうか、その……」

佐々木が好きだから、見ていることがバレないように目をそらしてただけなんだ。

「あの、えっと、くれます！　じゃなくて、その……あ、あげるよ！　俺のボタン全部！」

あたふたしている俺を見て、佐々木はおどろいたように目を大きく見開いたあと、うれしそうに微笑んだ。

どうやら俺のミッションは、想像していなかった形で成功を収めたらしい。そして想像していなかった形で、片想いを卒業することになりそうだ……――。

episode - 19

いつか君に、この絵を

あの子……今日もいる。

高校三年生の渉は、ベンチに座って絵を描いている少女をちらっと見た。

ここは、芝生広場や野球場などもある広い公園。渉は最近学校帰りに、この公園を通って帰宅するようになった。放課後のヒマつぶしにちょうどよかったのと……いつも同じ場所で絵を描いている子が、気になったから。

こんなところで毎日、何を描いているんだ？

ここには、古くてさびれたベンチとわずかに色づきはじめた何本かの木があり、遠くの街並みがかすかに見えるくらいで、特別景色がよいというわけではない。

スケッチするには、もっといい場所があるはずだ。芝生広場のほうなら花も咲いているし、木々も赤や黄色に美しく色づいているだろう。

それなのにあの子は、渉が通りかかると必ず同じベンチに座っている。

スケッチブックと鉛筆、時には絵筆を持って、真剣な表情で絵を描いているのだ。

変なやつ。

渉はポケットに手を突っこむと、ベンチに座る少女に背中を向けて歩き出す。

けれど、行く当てなどなかった。やりたいこともなかったし、家にも帰りたくない。

少し前までは、こんな所でこんなことをしているヒマなんてなかったのに。

渉は立ち止まり、ポケットから右手を出した。指先を動かそうとしたけれど、うまくいかない。数か月前に事故にあい、渉の右手は思い通りに動かなくなってしまったのだ。

「くそっ……」

小さくつぶやいて、また右手をポケットに突っこむ。

このケガで、渉は絵が描けなくなった。小さいころから絵ばかり描いていて、描けば必ずほめてもらえた。コンクールに出せば賞をもらえて、将来有望だとまわりから大きな期待を寄せられていたのだ。高校卒業後は、美大への進学も考えていた。
それなのに――渉は今、人生初の挫折を味わっていたのだ。

渉は翌日も公園を訪れた。

今日も……あそこで描いてる。

少女は、今日も同じベンチに座って絵を描いていた。真剣に景色を見つめて、スケッチブックに線を描く。視界に入っているであろう渉のことも、気づいていないようだ。

その様子を見ていたら、なんだか無性に腹が立ってきた。

渉はさりげなくそばに行き、絵をのぞいてみる。

それは平凡な風景画だった。うまくもなく、下手でもない。でも自分だったら、もっと上手に描けたはずだ。

「毎日ここで絵を描いてるよな?」

思わず聞いてしまった。少女が不思議そうに顔を上げる。

白い肌に茶色い髪と瞳。体は細く、なんだか儚げな子だな、と感じた。

「こんな、なんの変哲もない景色を毎日描いて……何がおもしろいんだよ」

イライラして、つい八つ当たりしてしまう。すると少女が、微笑みながら答えた。

「おもしろいよ。毎日景色は変わるから」

景色が変わる？　そんなはずないだろう？

少女はスケッチブックのページを開いて、渉に見せた。淡い水彩画で同じ風景が何枚も描かれているが、わずかに色合いや雰囲気が変わっている。

「その日の天気とか、気温とか、風向きとかで、景色は少しずつちがうの。もちろん季節が変われば、もっと変化があっておもしろいよ」

「季節って……そんなに毎日ここで描いているのか？」

「毎日じゃないけど……来れる時は来てる」

少女はスケッチブックのページをめくる。

今は秋だが、真夏の抜けるような青い空も、しとしとと降る雨のしずくも、満開の桜の花も、そこには生き生きと描かれていた。

「ね？　同じじゃないでしょう？」

「……ヒマ人なんだな」

わざと嫌味っぽく言ったのに、少女がくすっと笑った。

「あなたもね。最近毎日ここを通るよね？」

少女は渉がこの公園に来ていたことに、気づいていたのだ。

顔をしかめた渉の前で少女が微笑む。悔しいけれど、天使のような微笑みだ。

「私の名前は志乃」

「……俺は渉」

「渉くんね。明日も来る？」

「ヒマだったらな」

「じゃあ明日も会えるね」

そう言って、志乃はまた微笑んだ。

それから毎日、渉は志乃に会いにきた。

絵なんか見たくもなかったはずなのに……どうして来てしまうんだろう。

志乃は今日も、同じ場所から同じ風景を描き続けている。

春、夏、秋と、志乃はここで、三つの季節を過ごしたようだ。


「絵、描くの、楽しいか？」

志乃の隣に腰かけて、渉は聞いた。

「うん、楽しいよ」

志乃はそう言って、いつものように微笑む。

渉だって、子どものころはそう思っていた。でも大きくなるにつれ、描くことは義務のようになってしまって……コンクールで入賞することや、いい学校に行くことが目的になってしまっていた。

もしも、もう一度絵が描けたら……志乃のように楽しく描くことができるだろうか。

毎日夕方になると、志乃の兄が迎えにくる。仕事帰りにこの公園に立ち寄るらしい。

「じゃあ、またね、渉くん」

志乃は渉と同い年だというが、高校には行っていないそうだ。

放課後、兄が迎えにくるまでの一時間程度を志乃と公園で過ごすことが、渉の日課になっていった。

志乃と話して志乃の絵を見ているうちに、渉にも描きたい気持ちがよみがえってきた。

だが、右手は使えない。どうしようもない、いらだちばかりがつのっていく。

しかし志乃は、そんな渉の気持ちに気づいていた。

「渉くんも、描いてみる?」

「なんでそんなこと……」

「知ってるんだ、私。学校で表彰されてる渉くんを見たことがあるの」

志乃は以前、渉と同じ高校に通う生徒だったようだ。

「……無理だよ。右手をケガして、うまく動かせないんだ」

「でも手はふたつあるんだよ」

そう言って、志乃が渉の左手に鉛筆を握らせる。

渉の中で、何かが弾ける音がした。

左手で描くなんて、思ってもみなかった。

でもきっとうまくは描けないだろう。以前のように描けなければ、意味がない。

みんなにバカにされるのも、あわれみの目で見られるのもごめんだった。

「できるわけないだろ！」

渉が投げ捨てた鉛筆が、志乃の足元に転がる。

拒絶した渉のことを、志乃はさびしそうに見つめていた。

その翌日。志乃が、公園に来なかった。

どうしたんだろう。昨日ひどいことを言ったから、嫌われてしまったのだろうか。

翌日も、その翌日も、渉はいつもの場所で志乃が来るのを待った。

すると一週間後、志乃の兄が公園に現れた。そして……志乃は病気をわずらっていて、入院していることを教えてくれた。

「入院って、そんなに悪いんですか？」

「志乃は……もうあまり長くは生きられないんだ」

長くは生きられない？

その言葉を心の中でくり返し、渉は呆然とする。

「お見舞いに……行ってもいいですか？」

なんとか声に出した言葉を、志乃の兄は断った。

志乃は弱った姿を、だれにも見られたくないのだと言う。

「志乃がまたここに来られるよう、祈っててほしい」

それだけ言うと、渉をベンチに残して去っていった。

それからも渉は毎日公園に通って、志乃がやってくるのを待った。

この前まで色づいていた秋の葉が、すっかり枯れて散っている。

同じ景色でも、少しずつ変わっていたのだ。

志乃は冬の景色を、あのスケッチブックに描くことができるのだろうか。

そんなことを考えて、渉は悲しくなった。

ある雪の積もった日、志乃が公園にやってきた。先週退院したのだと言う。

しかし体調は悪そうで、それなのに絵を描こうとする。

「寒いし、無理しないほうがいいよ」

「大丈夫。もう少しで完成するの」

志乃は絵を描いた。真っ白な冬の景色。志乃はここから見える四季を描こうとしていたのだ。しばらくして絵を描き上げた志乃は、満足そうに言った。

「私、今年の春、余命三か月って言われていたの。夏まで生きられないって。でもそんなの嫌だ。ぜったい夏を越えて、秋も、冬も生きてやるって思った」

志乃の力強い言葉に、渉もうなずく。

「そうだよ。次の春も、また次の夏も秋も冬も……ずっとここで絵を描いてよ」

志乃が白い息を吐きながら、穏やかに微笑んだ。

そして渉は誓った。自分も志乃に負けないよう、頑張ろうと。


渉は利き手とは逆の、左手で絵を描くことにした。だけどももちろん、最初からうまくいくはずがない。描いた絵は子どもの落書きのようで、情けなくなる。

やっぱり無理なんじゃないだろうか。左手でなんて、描けるはずがない。

あきらめそうになった時、志乃の力強い言葉を思い出した。

『ぜったい夏を越えて、秋も、冬も生きてやるって思った』

あんなに小さくて細い体で、志乃は頑張っているじゃないか。手をケガしたくらいで、俺が逃げ出してどうする。

何度も挫折しそうになりながら、渉は必死に絵を描いた。

するとだんだん、渉の気持ちが変化しはじめた。絵を描くのが楽しくなってきたのだ。

以前のようには描けないけれど……コンクールのためでも、進学のためでもない。

ただ自分のためだけに描くことの楽しさを、渉は初めて知ったのだ。

「この絵を……見てくれるかな」

渉は完成した絵を志乃に見せた。

以前の渉だったら、こんな下手くそな絵を人に見せたりはしない。だけどこの絵は、自分が楽しんで描いた絵だ。それをいちばんに、志乃に見てほしかった。

志乃は渉から絵を受け取ると、頬をゆるめて口を開いた。

「すてき……」

胸の奥が、じんわりと熱くなる。たとえお世辞だとしても、うれしいと素直に思う。

ベンチに座って、絵を描く志乃の姿を見守った。真冬の公園は、しびれるほど寒かったけれど、ふたりで寄りそうように座っていると、寒さも忘れられた。

しかししばらくすると、志乃はまた公園に来なくなった。再入院したのだと、志乃の兄が教えてくれた。

大丈夫だろうか……左手をぎゅっと握りしめ、不安を追い払う。

大丈夫。志乃はきっと大丈夫だ。

次の春も、また次の夏も秋も冬も……志乃はここで、絵を描くのだから。


冬が過ぎ、桜の季節がやってきた。公園の桜の木は、満開を迎えている。冬の間、人気のなかったベンチのまわりも、お花見にやってきた人でにぎわっている。

渉は今日もベンチに座って待っていた。志乃は、まだ来ない。

そこへ志乃の兄が現れた。見覚えのあるスケッチブックを、渉の前に差し出す。

はっと顔を上げた渉の前で、志乃の兄が告げた。

「この続きは、渉くんが描いてほしい」

それが志乃の遺言だった。


それから何年もずっと、渉はここで絵を描き続けている。

描き終わったスケッチブックの数は、もう数えきれない。

このベンチから見えるのは、いつも同じ景色。だが、少しずつちがう。

空の色、草木の形、花の種類、街の風景。

季節はめぐり続け、街は少しずつ変わっていく。

自分の命がつきるまで、渉は絵を描き続けようと思った。

そしていつか志乃に会えた時、このスケッチブックを渡すのだ。

志乃はきっと、天使のようなあの微笑みで「すてき」と言ってくれるだろう。

● 執筆担当

菊川 あすか（きくかわ・あすか）
東京都在住。著書に『はじまりと終わりをつなぐ週末』（スターツ出版）、『この声が、きみに届くなら』（集英社）、『大奥の御幽筆』（マイクロマガジン社）などがある。

櫻 いいよ（さくら・いいよ）
奈良県出身、大阪府在住。2012年『君が落とした青空』（スターツ出版）でデビュー。著書に『イイズナくんは今日も、』『世界は「　」で満ちている』（以上、PHP研究所）、『交換ウソ日記』（スターツ出版）などがある。

水瀬 さら（みなせ・さら）
神奈川県在住。2018年『あの日、陽だまりの縁側で、母は笑ってさよならと言った』（アルファポリス）でデビュー。著書に『涙の向こう、君と見る桜色』（ポプラ社）、『溺れながら、蹴りつけろ』（PHP研究所）などがある。

村咲 しおん（むらさき・しおん）
愛知県出身。会社員をしながら作家もしている。女性向けアンソロジーに作品多数掲載。『ラストで君は「まさか！」と言う』シリーズ（PHP研究所）にて児童書へと活躍の場をさらに広げる。

装丁・本文デザイン　根本綾子（Karon）
カバーイラスト　ふすい
本文イラスト　パチ
DTP　山名真弓（Studio Porto）
校正　株式会社夢の本棚社
編集制作　株式会社 KANADEL

3分間ノンストップショートストーリー
ラストで君は「キュン！」とする　永遠（えいえん）の思い出

2023年11月27日　第1版第1刷発行
2025年3月6日　第1版第2刷発行

編　者　PHP研究所
発行者　永田貴之
発行所　株式会社PHP研究所
東京本部　〒135-8137　江東区豊洲5-6-52
児童書出版部　TEL 03-3520-9635（編集）
普及部　TEL 03-3520-9630（販売）
京都本部　〒601-8411　京都市南区西九条北ノ内町11
PHP INTERFACE https://www.php.co.jp/
印刷所・製本所　TOPPANクロレ株式会社

ISBN978-4-569-88141-6

NDC913　191P　20cm